시시포스

남킹

https://brunch.co.kr/@wonmar

소설가. 남킹 컬렉션 #001 - #444 출간을 목표로 합니다.

스페인 알리칸테 거주.

발 행 | 2024-01-25

저 자 | 남킹

펴낸이 | 한건희

펴낸곳 | 주식회사 부크크

출판사등록 | 2014.07.15(제2014-16호)

주 소 | 서울 금천구 가산디지털1로 119, A동 305호

전 화 | 1670 - 8316

이메일 | info@bookk.co.kr

ISBN | 979-11-410-6895-0

본 책은 브런치 POD 출판물입니다.

https://brunch.co.kr

시시포스
브런치 스토리

남킹

목차

마르 데페스에게 이 책을 바칩니다.

남킹 컬렉션

블라드 체페슈 1

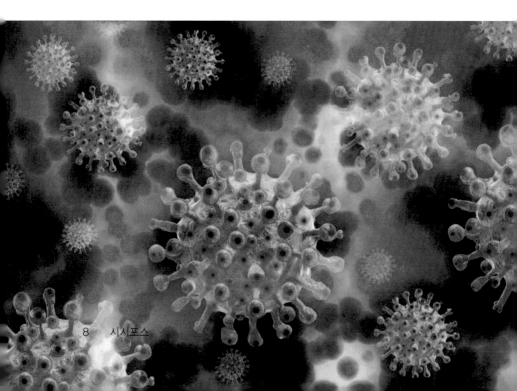

바이러스

이런 날이 올 줄 알았다. 이미 여러 번 겪었으니 어찌 보면 안 오는 게 이상한 거였다. 남극 대륙과 가까운, 춥고 외진 섬에 인간이 발자취를 남기는 순간, 풀 한 포기 나지 않는, 이 섬에만 살던 <앤탁틱디오스흡혈박쥐>는 펭귄보다 따뜻하고 맛있는 인간의 피에 환장하게 되었다. 수백 마리의 박쥐 떼가 두툼하게 가려진 방한복 사이에 드러난 인간의 얼굴 살을 쪼아대기 시작했다. 혼비백산한 촬영팀들은 서둘러, 타고 온 보트를 몰아 본선으로 도망갔다. 일은 이렇게 일단락되었다. 하지만 재앙은 지금부터였다.

아일랜드 수도 더블린에 도착한, 영국 BBC 다큐멘터리 팀은 2주간의 휴가를 즐겼다. 그러던 어느 날, 섬에서 돌아온 뒤 대략 90일쯤, 촬영팀 직원들이 하나씩 쓰러지기 시작했다. 고열과 복통, 피부 발진, 홍반, 괴사, 오심, 구토, 설사, 출혈까지, 바이러스 감염 질환의 모든 증상을 겪은 그들은 병원 입원 후 며칠 만에 모두 사망했다. 이때까지만 해도 몰랐다. 이게 어느 정도의 재앙인지는.

아일랜드에서 시작한 전염병은 며칠 만에 영국 전역으로 번져갔다. 그리고 불과 몇 달 뒤, <앤탁틱디오스흡혈박쥐>의 학명에서 이름 지어진, <디오스 바이러스>에 의해 전 세계 1억의 인구가 사라졌다. 통계에 의하면, 앞으로 1년 이내에 10억의 인구가 사망할 것으로 내다봤다. 각국의 모든 국경이 봉쇄되고, 도시에 사는 인간은 집에서 한 걸음도 나갈 수 없게 되었다. 모든 인간의 행위가 멈췄다.

하지만 나는 달랐다.

나는 이미 예견하고 있었다. 이런 날이 오리라는 것을…. 시간문제였다. 그러므로 나는 모든 것을 준비하고 있었다. 나는 무척 똑똑했다. 그리고 나는 대단히 성공한 사업가다. 나는 적은 수고에 비해 지나치게 많은 돈을 벌고 있었다. 나는 영악하고 냉혈한이다. 나는 더러운 빈민가에서 자라, 아무리 울어도 내 입에 젖꼭지를 물려주지 않는다는 사실을 일찍 깨우쳤다. 아무리 발버둥 쳐도 학교 폭력의 그늘을 벗어날 수 없다는 것은 깨달은 나는, 나의 자존심을 쓰레기통에 가차 없이 처박아 버리고, 녀석들이 원하는 것을 적극적으로 갖다 바쳤다. 그들의 따까리가 되어 나만큼 비천하고 만만한 학우들을 쑤시고 다녔다. 그리고 깨달았다. 돈이 권력이라는 사실을.

돈을 악착같이 모았다. 그리고 보았다. 불법 온라인 음란사이트가 대단히 큰돈을 번다는 것을. 개발자를 끌어모으고 가출 여자들을 섭외하여 사이트를 개설했다. 물론 바지사장도 내세웠다. 돈이 쏟아졌다. 하지만 절대로 국내에서는 오래 할 수 없는 것. 서버를 외국으로 옮겼다. 그때 나는 루마니아를 알게 되었다. 연이어 불법 도박 사이트도 개설했다. 나는 루마니아와 한국을 오가며 떼돈을 벌었다. 학창 시절 나를 두드려 패던 녀석들이, 이제 모두 내 밑에서, 굽신거리며 내게 충성을 바쳤다. 하지만 나는 알고 있다. 꼬리가 길면 잡히는 법. 한국의 사법 시스템이 결코 나를 그냥 둘 리가 없다는 것을.

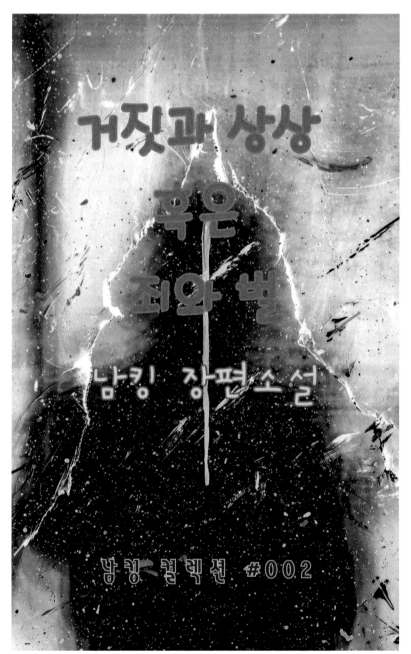

거짓과 상상 혹은 죄와 벌

남킹 장편소설

남킹 컬렉션 #002

블라드 체페슈 2

블라드 체페슈

　나는 루마니아의 쓰러져가는 고성을, 현지인을 대리로 내세워 헐값으로 샀다. 그리고 그 주변, 산과 호수, 밭을 모두 사들였다. 그리고 성을 보수했다. 호텔과 카페테리아, 연회장을 만들고 테마파크도 집어넣었다. 그리고 <블라드 체페슈> 성으로 국내에 광고했다. 마치 그 유명한 드라큘라 백작의 성인 것처럼 포장하고 광고하여 한국 관광객들을 끌어들였다. 하지만 이것은 그저, 루마니아를 왔다 갔다 하는 합법적인 사업가로 보이려는 수단일 뿐이었다. 그러므로 한국 관광객 유치에는 다소 소극적이었다. 그보다는 더 중요하고 은밀한 돈벌이가 여기에 있었다. 나의 표적은, 돈을 주체할 수 없을 정도로 많이 가진, 재벌 2세나 졸부들이었다. 그들의 일탈과 탐욕을 이용하기 위한 거였다.

　그러려면 우선 외부와 철저히 단절되어야 했다. 부자들은 자신들의 욕망을 온전히 누릴 수 있는 은밀하고 안전한 곳을 본능적으로 선호한다. 나는 나의 성과 숲, 호수를 아우르는, 아주 높은 담을 쌓았다. 그리고 전류를 흘러보내 감히 누구도 담치기를 못 하도록 만들었다. 그리고 숲에는 다양한 짐승을, 호수에는 수많은 종류의 물고기를 풀어놓았다. 그중에는 사람을 해칠 수 있는 것들도 있었다. 한마디로 사파리를 조성했다. 그리고 이곳 공무원들을 돈으로 매수해서 카지노 운영권을 따냈다.

　성의 내부와 주변에도 다양한 시설을 마련했다. 카지노뿐만 아니라 오락실, 사우나, 수영장, 안마소, 실내 골프, 테니스장, 영화관, 레스토랑, 커피숍 그리고 드라큐라를 주제로 한 공포 테마파크까지. 하지만 가장 중요한 시설은 이 성의 지하에 있었다. 나는 이것을 기획하면서 흥분을 감추지 못했다. 우연히 다큐멘터리에서 본, 400년 만에 발견된 죽음의 동굴에서 착안하여, 나는 인간의 공포를 극대화할 수 있는 기발한 아이디어를 실행했다. 나는 깊은 동굴을 팠다. 그런데 구멍을 한 개만 판 게 아니었다. 입구에서 조금 가면 2개의 구멍이 나왔다. 파란 구멍, 빨간 구멍. 이것은 영화 <매트릭스>에서 주인공이, 진실을 알기 위한, 빨간약과 파란 약 중 하나를 선택하는 것에서 따왔다. 2개의 구멍 중 하나를 선택하여 십여 미터쯤 가면 다시 2개의 구멍이 나왔다. 역시 빨간 구멍, 파란 구멍. 해답은 둘 중 하나. 끝까지 틀리지 않고 제대로 답한 사람은 가장 빨리 출구를 나올 수 있다. 그렇지 않으면 동굴에서 좀 돌아야만 했다.

　나는 지하 동굴이 대단히 만족스러웠다. 그리고 할리우드에서 공포 소품 제작자로 유명한 사람을 고용하여 동굴 전체를 괴기스럽게 꾸몄다. 나의 왕궁이 비로소 완성되었다. 이제 마지막 단계, 운영 인력이 필요했다. 나의 성을 지켜줄 보안요원과 동유럽의 쭉쭉 빵빵

미녀들을 모집했다. 드디어 모든 것이 끝났다. 돈만 거둬들이면 되었다. 나는 은밀하고 조용하게 이 세상 부자들에게 초청장을 보냈다.

<당신이 욕망하는 모든 것을, 오로지 선택받으신 분만, 이곳 블라드 체페슈 성에서 누릴 수 있습니다. 카지노 이용객은 최고급 호텔, 레스토랑, 테마파크 등 모든 위락시설이 무료입니다.>

예상대로였다. 나는 이런 날이 올 것을, 스스로 개척했다. 나는 늘 내가 냉정한 천재라고 느꼈다. 돈벌이에 관한 한 나를 따라올 자가 없다고 항상 생각했다. 모든 호텔 객실이 고객들로 꽉 찼다. 그들은 근사한 아침을 먹고, 사우나에서 안마받고, 숲과 호수에서 사냥과 낚시를 즐기다가, 자신이 손수 잡은 신선한 고기로 배를 채운 뒤, 카지노에서 도박하고 미녀와 함께 테마파크에서 음탕한 공포를 체험하면서, 하루를 쾌락답게 보내는 거였다. 소문은 부자들 사이에 삽시간에 퍼졌다. 일 년 치 예약이 모두 찼다. 나는 스위스 비밀 계좌에 부지런히 돈을 갖다 날랐다. 적어도 <디오스 바이러스>가 세상을 집어삼키기 전까지는 말이다.

그래, 우리는 알고 있었다. 괴상하고 괴기한 바이러스가 하나씩 둘씩 나타나서, 툭하면 사람을 괴롭히며 우리 곁에 머물렀다는 사실을.

나는 진작 알아봤고 이미 모든 준비를 마쳤다. 나는 팬데믹 시대에도 큰돈을 버는 방법을 연구하고 실천했다. 나는 나의 왕국 곳곳에 은밀하게 식품저장소를 설치하고, 오래 보관이 가능한 가공식품을 저장했다. 적어도 1년 동안은 버틸 수 있는 양이었다. 그리고 각종 소독약과 항생제, 의료 장비, 방독면을 대량 구매하고 차단막을 모든 방에 설치하였다. 연료를 대량 확보하고 자가전기설비를 갖췄다. 그리고 유럽의 특수 용병 출신의 보안요원과 군사 장비, 폭탄을 곳곳에 배치했다. 게다가 최첨단 백신 개발 연구소에 막대한 후원금을 냈다. 이 연구소는 태평양 한가운데 있는 작은 섬에 있으므로, 완전히 고립된 곳이었다. 또 한 가지, 나는 우리 성에서 약간 떨어진 곳에 헬기장과 격납고를 만들고 헬기를 마련했다.

성의 중심, 대형 홀에는 초대형 TV를 설치했다. TV에서는 24시간 실시간으로 중계되는, 세상의 소식을 전할 것이다. 그리고 내 비장의 무기. 나는 할리우드의 특수효과 전문 감독들을 끌어모아 영화를 대량 제작했다. 질보다는 양이었다. 그래서 나는 아주 긴 영화를 요구했다. 그리고 영화 편집자들을 모집했다. 그들에게, 지금까지 나온 영화 중 지구 멸종을 다룬 필름을 모아 짜깁기를 요구했다. 그렇게 모든 준비를 마쳤다. 나는 이제 귀를 쫑긋 세우고 어딘가에서 들려오는 슬픈 소식을 학수고대하며 기다렸다. 그리고 그날은 생각보다 무척 빨리 다가왔다. 바이러스는 인류를 멸종시킬 기세로 맹렬하게 덤벼들었다. 나는 은밀하고 조용하게 이 세상 부자들에게 초청장을 보냈다.

<당신이 바이러스의 공포에서 벗어나게, 오로지 선택받으신 분만, 이곳 블라드 체페슈 성에서 1년간 안심하고 머물 수 있습니다. 모든 약과 의료 장비가 준비되었고, 모든 곳이 100% 완벽하게 살균되었습니다. 바이러스가 사라질 때까지 하루하루 즐거운 삶을 누리시기를 바랍니다. 선착순 딱 100명만 받겠습니다. 서두르시기를 바랍니다. * 카지노 1년 VIP 정회원은 최고급 호텔, 레스토랑, 테마파크 등 모든 위락시설이 무료입니다.>

불과 사흘 만에 100명의 회원을 채웠다. 전세계에서 이름만 들어도 알만한 부자들이 모여들었다. 나는 전 직원들에게 미리 알린 대로 명령했다. 동서남북, 성의 모든 문이 굳게 닫혔다. 담장의 전력을 최대치로 올리고 각 초소에는 24시간 비상 대기 체제로 들어갔다. 이제 나의 왕국에는 쥐새끼 한 마리 들어 올 수 없게 만들었다. 모든 시설은 매일 살균했다. 그리고 성내 모든 인원은 의무적으로 1주일에 1회 바이러스 검사를 받도록 했다.

모든 것은 완벽했다. 우리는 외부와 철저하게 차단되었다. TV에서는 매일 아비규환으로 변해가는 세상의 소식을 생생하게 전하고 있었다. 하지만 우리 성의 입주민들은 그저 불구경하듯 쳐다볼 뿐이었다. 이곳 삶은 온갖 탐욕과 쾌락의 결정체였다. 홀에서는 매일 성대한 파티가 열렸다. 마음껏 사냥하고 먹고 마시며, 도박하고 남녀가 어울렸다. 그들에게 바깥은 단지 영화의 한 장면일 뿐이었다. 그리고 나는 이제, 세상에서 가장 부유한 인간이 되기 위한 나의 마지막 계획을 실행할 준비를 마친 상태였다. 나는 드라큐라 성주답게 그들의 피를 남김없이 쭉쭉 빨아 먹을 것이다.

그러려면 우선, 싱싱한 생고기가 필요했다. 왜냐하면, 한 달쯤 지나자, 숲과 호수에 풀어 놓은 야생동물이 거의 멸종상태였다. 그러니 모든 음식은 통조림으로 대체되기 시작했다. 당연하게도 차츰차츰 가공식품에 질리기 시작하는 이들이 늘어났다. 최고의 쉐프가 아무리 맛있게 통조림으로 요리를 해도, 신선한 생고기의 풍미를 잡을 수는 없는 법. 나는 이것도 이미 예상하였다. 피가 뚝뚝 떨어지는 싱싱한 고기를 얻는 방법. 의외로 간단했다. 나의 성은 세상에서 가장 안전하다는 소문이 이미 쫙 퍼진 상태였다. 그러므로 성 주변에는, 매일같이 바이러스의 공포를 피해 주위를 서성이는 이들이 차고 넘쳤다. 그중에 젊고 토실토실한 이들을 골라 성으로 받아들였다. 그리고 바이러스 검사 명목으로 그들을 격리했다. 그곳은 모든 전파가 차단된 방이었다. 그러므로 그들의 휴대전화기는 무용지물이었다. 대신 게임기와 TV가 그들의 무료함을 달랬다. 그리고 매일 풍성한 가공식품을 그들에게 먹였다. 그들은 만족한 돼지로 차츰차츰 변했다.

한편, 주방에서는 그날 필요로 하는 생고기 양을 산정해서 격리실 관장에게 전달한다. 그러면 관장은 필요한 수의 인간을 뽑아 가스실로 그들을 보냈다. 물론 그들에게는 격리기간이 끝났으니 이제 이 성에서 마음껏 살 수 있다는 담당자의 말에, 그들은 기쁜 마음으로 가스실로 달려갈 것이다. 그리고 우리가 익히 보아온 장면이 나타난다. 내가 존경해 마지않는 히틀러의 멋진 유산. 홀로코스트의 백미. 가스실 명판은 당연히 <살균실>로 되어 있다. 그 방에 모인 이들은 우선 모든 옷을 벗어 세탁실 바구니에 담아둔다. 모든 귀중품은 자신의 이름을 적은 박스에 보관한다. 그렇게 나체가 된 그들은, 재스민 향이 가득한 가스실에서 행복을 느끼며 저세상으로 간다. 얼마 뒤, 환기가 끝난 가스실에 직원들이 나타나 죽은 이들을 캐리어에 담아 <해체실>로 보낸다.

그날 저녁, 신선한 생고기로 만든 향긋한 스테이크가 제공된다. 사람들은 열광한다. 그들은 서둘러 자신의 페이스북과 인스타그램에 사진을 올리고 멋진 말을 남긴다. 천국의 맛. 내 생애 최고의 스테이크. 고든 램지가 울고 갈 천생(天上)의 고기 맛. 비건이 아닌 게 천만다행. 이건 그냥 고기가 아냐! 신이 내린 축복이야!….

하지만 이것이 전부가 아니다. 신선한 생 살코기에 고소한 참기름을 뿌려 만든 육회, 막 짜낸 피를 깨끗하게 굳히고 당면을 넣어 만든 아바이 순대, 남은 살코기를 갈아서 만든, 두툼한 수제 햄버거 패드, 대가리를 푹 삶아 압착기에 꾹 눌러 만든, 쫄깃한 머리 고기, 정력에 비상한 관심을 보이는 상남자를 위해 제공하는, 피가 뚝뚝 떨어지는 생간 요리….

그렇게 사람들은 점점 인육에 미쳐가기 시작했다.

여기에 덧붙여 나는 나의 성을 점점 괴기스럽게 꾸미기 시작했다. 내게는 뼈를 발라내고 남은 많은 찌꺼기가 있었다. 피, 머리, 해골, 손가락, 발가락, 머리카락, 껍질, 내장까지…. 그러므로 값싸고 손쉽게 공포스러운 장식을 추가할 수 있었다. 우선 피를 곳곳에 뿌려 사람들이 비린내에 익숙하게 만들었다. 가뜩이나 인육에 미친 그들은 손쉽게 비린내에 물들었다. 그리고 방부 처리한 각종 인간 부산물을 이용한 장식을 매일 조금씩 조금씩 설치해 나갔다. 점점 나의 성은 기괴한 뱀파이어로 변해갔다.

나는 나의 원대한 계획이 하나하나 차곡차곡 무르익어 가는 현실에 깨춤을 출 정도로 기분이 좋았다. 그리고 점점 심하게 흥분하기 시작했다. 내가 그렇게 학수고대했던 바로, 그 지하 동굴을 이제 저들에게 소개할 때가 된 거였다. 이 세상 최고의 사기꾼만이 할 수 있는, 내 생애 최고의 작품. 블라드 체페슈 지하 동굴을 공개합니다. 여러분에게…. 하지만 잠깐, 그에 앞서 나는 몇 가지 선행작업을 시작했다.

신의 땅 물의 꽃

남킹 장편소설

남킹 컬렉션 #003

심해

닝킹 장편소설

닝킹 컬렉션 #004

블라드 체페슈 3

아마겟돈

어느 날, 나는 나의 궁전의 모든 전파를 차단했다. 이제 외부와의 어떤 통신도 허락되지 않았다. 그리고 다음 날, 내가 심혈을 기울여 제작한 수많은 영화를 TV로 하나씩 하나씩 내보내기 시작했다. 모든 영화의 내용은 간단했다. 기자가 화면에 나와 마치 긴급 속보를 전달하는 것처럼, 긴박하게 상황을 설명하고, 뭔가에 쫓기듯이 카메라를 흔들며 뛰어다녔다. 화면을 가득 채운 것은 지구의 종말. 아마겟돈이었다. 저 멀리서 번쩍이는 섬광과 굉음이 쏟아지고 사람들의 비명도 적절하게 집어넣었다. 차들은 뒤엉켜 불타오르고 건물은 멀쩡한 게 하나도 없이 철저하게 파괴되고 부서졌다. 부모를 잃은 어린아이는 통곡하고, 슈퍼마켓은 약탈자로 가득하고, 곳곳에서는 대포 소리 기관총 소리가 난무했다. 수많은 이들이 피를 흘리며 쓰러졌다.

사람들이 모두 홀에 몰려들어 이 놀라운 광경을 지켜보기 시작했다. 이때쯤 나는 회심의 자막을 TV 화면에 흘려보냈다. <미국 주요 도시 피폭…. 원자폭탄으로 추정…. 미국과 유럽 연합 즉각 중국과 러시아에 선전포고…. 모든 통신 불능….> 사람들이 웅성거리기 시작했다. 그들은 공포에 질린 표정으로 서로를 쳐다보며 황급히 휴대전화기를 만지작거렸다. 하지만 모든 연락은 단절된 상태. 이제 그들의 눈과 귀는 오직 이 TV에만 의존할 뿐이었다. 이 순간을 기다렸다는 듯, 나는 단상에 올라가 마이크를 켰다.

"친애하는 블라드 체페슈 성 입주민 여러분…. 저는 이 성의 성주입니다. 여러분이 방금 뉴스로 보시다시피, 세상은 팬데믹 이후 강대국 간의 반목과 불화로 인해 대재앙 수준의 전쟁에 직면했습니다. 세상은 파괴되고 종말로 향하고 있습니다. 모든 통신은 단절되었습니다. 그나마 TV 케이블 선은 아직 유지되고 있지만, 언제 끊어질지 모르는 상황입니다. 하지만 여러분은 안심하셔도 됩니다. 이곳은 이 세상 어느 곳보다 안전합니다. 핵전쟁에 대비한 지하 벙커 시설과 방독 시설, 약품과 식품저장 시설이 모두 완벽하게 갖추어져 있습니다. 그러므로 여러분은 안전한 이곳에서 평화가 올 때까지 편안히 계시며 일상생활을 즐기시기를 부탁드립니다. 감사합니다." 곳곳에서 박수 소리가 들려왔다. 나는 흐뭇한 미소를 띠며 단상을 내려왔다. 몇몇 사람은 내게 다가와 고맙다며 악수를 청하였다. 나는 다정한 미소로 그들을 다독였다. 그리고 나는 내 속을 가득 채운, 더러운 이빨을 드러내기 시작했다.

나는 카지노의 기본 판돈을 대폭 올렸다. 그리고 모든 무료 서비스를 유료로 바꾸었다. 그리고 턱없이 비싼 값을 매겼다. 특히, 생고기의 값을 어마어마하게 올렸다. 인육에 중독된 입주민들의 항의가 빗발쳤다. 당연한 일이다. 나는 이 모든 것을 예상하고 주관하는 신이다. 내가 내 세우는 논리는 단 하나였다. 이거면 그들의 불만 섞인 입을 확실하게 막을 수 있었다.

<전쟁이 언제 끝날지 알 수 없다. 하지만 우리가 비축한 자원은 한정되어있다. 그러므로 우리는 전쟁이 끝날 때까지 최대한 버틸 수 있도록 아껴야 한다. 만약 우리의 정책이 마음에 들지 않으면 지금 당장 나가도 된다. 다만 한번 나가면 두 번 다시 돌아올 수 없다.>

입주민들의 원성은 당연하게도 쑥 줄어들었다. 하지만 늘 그렇듯이 세상에는 불평불만 자들이나 뭐든지 삐딱하게 반응하는 놈, 선동을 부추기는 자들이 존재하는 법. 그들은 외부와 철저하게 차단된 채, 피 같은 자기 돈이 턱없이 비싼 사용료로 빠져나가는 것에 의심의 눈길을 보내며, 노골적으로 항의를 하면서 동조자들을 끌어모으기 시작했다. 하지만 내가 누군가? 이 모든 것을 주관하고 예측하고 해결책을 진두지휘하는 능력자가 아니던가!

어느 날 나는 불만 세력 중 가장 목소리가 큰 녀석을 내 방에 불렀다. 그리고 물었다.

"이름이 어떻게 되시나요?"

"알베르입니다." 그는 약간 거만한 눈초리로 나를 쳐다봤다.

"당신은 성 외부의 상황을 눈으로 직접 보고 싶은가요?" 나는 차분하게 물었다.

"할 수만 있다면 보고 싶습니다. 사실 입주민 중에 의심하는 자들이 꽤 많습니다." 그는 기다렸다는 듯이 그의 바람을 드러냈다.

"물론 그러시겠죠. 사람은 자신이 직접 보지 않은 것에 대하여 의심하는 버릇이 있으니까요. 그러면 일주일을 드리겠습니다. 부디 무사히 돌아오셔서 직접 보고 체험한 내용을 제대로 알려주시기를 바랍니다." 나는 마치 자애로운 아비가 된 것처럼 그의 손을 잡으며 말했다.

"그렇게만 해 주신다면 더한 나위 없이 감사하겠습니다. 성주님." 그는 마치 은혜를 받은 성도처럼 기쁜 표정으로 연신 고개를 숙였다.

"다만, 외부로 향하는 모든 문은 납으로 완전히 봉쇄되었고, 또 나가는 모습을 다른 분들이 보게 되면 동요가 심해질 수 있으므로, 은밀하게 외부로 통하는 지하통로를 이용해주시기 바랍니다. 집사의 안내를 받기를 바랍니다." 나는 간단하게 외부에서 주의해야 할 수칙을 알려주고 필요한 장비 및 촬영 도구가 든, 작은 배낭을 건네주었다.

"감사합니다. 꼭 날짜 안에 돌아오도록 하겠습니다." 그는 뛸 듯이 기뻐하며 집사의 뒤를 따라갔다.

블루 드래곤 744

남킹 시나리오

남킹 컬렉션 #006

리셋
Reset

남킹 SF 소설집

남킹 컬렉션 010

블라드 체페슈 4

호러 단편소설

동굴

    집사와 알베르는 동굴 입구에 다다랐다. 동굴에는 곳곳에 CCTV가 마이크와 함께 설치되어 있다. 카메라가 미치지 않는 사각지대는 한 군데도 없었다. 그리고 모든 촬영 영상은 자동으로 메인 서버에 저장이 되었다. 나는 모니터실에서 그들은 지켜봤다. 집사는, 거의 여든이 다된 할아버지다. 그는 알베르를 지긋이 쳐다보며 천천히 말을 했다.

    "이곳은 원래 공포 테마파크로 만든 인공 동굴입니다. 고객님도 잘 아시다시피 드라큐라가 우리 성의 메인 테마이지 않습니까?"

    "네, 그렇죠…." 알베르는 고개를 끄덕거렸다.

    "그리므로, 가시는 중간마다 무서운 장면이 연출될 것입니다. 놀라거나 당황하지 마시기를 바랍니다. 모두 인형일 뿐입니다."
    "네, 네, 잘 알겠습니다." 그들은 소곤거리듯이 말을 했지만 내 귀에는 속속 들어왔다. 나는 마이크 성능에 만족했다.
    "그리고 또 한 가지 말씀드린다면, 이 동굴은 10개의 구역으로 나뉘어 있습니다. 즉, 10단계입니다. 그리고 단계마다 2개의 구멍이 나타납니다. 빨간색과 파란색 구멍. 그냥 재미로 만든 거니 당황하지 마시고 그중 한 곳으로 들어가시면 되십니다."

"어느 곳으로 들어가던 다음 단계로 넘어가는 건가요?" 알베르는 이해가 안 되는 표정으로 집사를 쳐다봤다.

"네, 한 곳은 다음 단계로, 나머지 한 곳은 빙글빙글 돌아 다시 원위치로 나옵니다. 그러니 잘못된 구멍으로 들어가셔도, 어차피 나와서 처음에 선택하지 않은 구멍으로 다시 들어가시면 다음 단계로 가게 되어 있습니다. 쉽죠?"

"아, 네 잘 알겠습니다. 그러면 혹시 해답지 같은 거 있지 않나요? 각 단계에 무슨 색 동굴로 들어가야 다음 단계로 넘어간다는?" 알베르는 잠시 생각하더니 노인에게 물었다.

"해답은 없습니다. 알베르 님이 구멍 입구에 멈추는 순간, 바닥에 설치된 발판이 시스템에 신호를 보냅니다. 그러면 메인 작동 프로그램이 무작위로 빨간색과 파란색을 순간적으로 결정합니다. 그러므로 우리는 어떤 게 정답인지 모릅니다. 그 순간 컴퓨터만 알고 있을 뿐입니다." 내가 꽤 신경을 쓴 부분이었다. 나의 멋진 동굴 시스템. 나는 이제 내가 설계하고 만든 이것이 내 생각대로 진행되는지를 설레는 가슴으로 지켜보고 있다.

"네, 알겠습니다." 알베르는 마지 못한 눈초리로 고개를 끄덕거렸다.

"그리고 각 구멍의 입구에는 알약이 놓여 있습니다. 그 약은 설탕에다가 약간의 진정제 성분을 추가했습니다. 동굴이라는 폐쇄된 공간에 여러 가지 기괴한 형태를 연출하다 보니 일부 관람객들이 본의 아니게 극심한 공포를 느껴 뜻하지 않은 사고를 낼 수 있습니다. 그래서 그런 약을 준비했으니 혹시 불안감이 커지거나 공포를 제어할 수 없다고 느끼시면 약을 드시기를 추천합니다." 내 비장의 무기. 그건 진정제가 아니라 환각제였다. 공포를 더욱 두렵게 느낄 수 있는…

집사는 마지막으로 가장 중요한 메시지를 전달했다.

"아, 그리고 이 동굴에 한 번 들어가게 되면, 출구는 딱 하나입니다. 즉, 뒤돌아 나올 수는 없습니다." 집사의 말에 알베르는 당혹스러운 듯 그의 얄팍한 입술을 말아서 입술로 자근자근 씹기 시작했다.

"너무 심려하지 마시기를 바랍니다. 아무리 잘못되어도 1시간 내에는 출구를 찾으실 수 있을 것입니다. 그럼 행운을…" 집사는 마치 혼잣말처럼 중얼거리며 알베르를 쳐다봤다.

"네… 알겠습니다. 그럼 믿고…" 알베르는 이제 선택의 여지는 없다는 듯이 결심을 하며 대답했다.

집사는 나가고 이제 알베르 혼자 동굴 입구에 남았다. 그 순간, 동굴 입구의 문이 쇳소리를 심하게 내며 열렸다. 그는 약간 망설이는 듯하더니 크게 심호흡을 하고는 발을 옮겼다. 그가 동굴에 들어가자마자 문이 '쾅' 하고 닫혔다. 그는 놀란 듯 주춤거리며 뒤를 돌아보았다. 이때, 안내 방송이 울렸다.

"블라드 체페슈 지하 동굴에 오신 것을 환영합니다! 60초 뒤에 당신 앞에 빨간 구멍과 파란 구멍이 나타날 것입니다. 당신의 현명한 선택이 당신을 구할 수 있습니다. 그럼 행운을 빕니다." 동굴 내의 그의 행동은 모두 녹화가 되고 있었다. 나는 느긋이 앉아 내 첫 고객의 반응을 살펴봤다. 알베르는 두려운 기색이 역력해 보였다. 나는 회심의 미소를 지었다. 나의 기대에 꼭 들어맞는 인간이었다.

이윽고 빨간 구멍과 파란 구멍에 조명이 들어왔다. 작지만 그 끝을 알 수 없어 보이는 구멍 속을 알베르는 이리저리 살펴보더니 빨간 구멍으로 들어가기 시작했다. 성인 어른이 수그러서 겨우 들어갈 정도의 높이를 그는 끙끙거리며 천천히 나아갔다. 점점 깊게 들어갈수록 높이는 올라갔으나 폭은 좁아지고 조명은 더욱 검붉게 물들었다. 그리고 알 수 없는 이상한 짐승의 울부짖음과 바람 소리가 흘렀다. 금방이라도 뭔가가 옆에서 튀어나와 그를 옭아맬 듯한 분위기였다. 그는 한 걸음 한 걸음 신중하게 앞으로 나아갔다. 하지만 그의 표정은 완전히 겁에 질려 넋이 나간 듯 보였다. 나는 그를 지켜보며 참을 수 없을 만큼 웃음이 나왔다. 나의 완벽한 늪에 그는 완전히 빠진 듯 보였다.

나는 이제 그를 슬슬 골탕 먹이며 갖고 놀기로 마음먹었다. 우선, 패널에 있는 〈블러드〉 단추를 눌렀다. 그러자 동굴 천장에서 핏방울이 똑똑 떨어지기 시작했다. 100% 순수 사람 피였다. 흔한 게 사람 피인데 굳이 값비싼 가짜 피를 사용할 이유가 없었다. 피는 알베르의 머리와 어깨를 적시기 시작했다. 처음에 그는 붉은 조명 속이라 물방울로 생각했다가 냄새를 맡아 보고는 화들짝 놀라며 뒤로 물러섰다. 나는 그의 얼굴을 줌으로 당겨 확대된 화면을 보았다. 혼자보기 너무 아까운 장면이었다. 악마에게 혼이 다 뺏긴 표정이었다. 그는 몇 번 더 주춤하며 비실거리다가 뭔가 작정을 했는지 갑자기 속도를 내어 뛰기 시작했다. 어둡고 좁고 울퉁불퉁한 동굴 속에서, 그는 부딪히고 넘어지고 괴성을 지르다 울먹이기까지 하면서 필사적으로 동굴을 빠져나왔다. 나는 이 모든 영상이 고스란히 촬영되고 있다고 생각하니, 백마 탄 왕자처럼 훌훌 날아다니는 기분이었다.

그가 겨우 빠져나온 동굴은 바로 그의 출발지였다. 그는 빙글빙글 돌아 원위치에 다시 섰다. 그의 옷과 살갗은 군데군데 찢기고, 다리는 서 있기조차 힘들게 부들거렸다. 그는 동굴 입구에 놓여 있는 알약을 보자마자 대번에 삼켰다. 그리고는 파란 구멍으로 비실거리며 들어갔다. 그가 한 발씩 내디딜 때마다 푸른 조명은 서서히 검푸르게 변하였다. 그리고 어딘가에서 냉기가 올라왔다. 그는 이제 온몸을 부들부들 떨면서 어기적어기적 나아갔다.

나는 이때, <아이스> 버튼을 눌렀다. 그러자 동굴의 바닥에 핏물이 고이기 시작했다. 질퍽질퍽하는 소리가 생생하게 들렸다. 하지만 그것도 잠시, 바다의 핏물은 얼어붙기 시작했다. 쩍쩍 발이 달라붙는 소리가 나기 시작했다. 그러자 알베르의 입에서 짐승 같은 신음이 메아리쳤다. 그리고 나는 〈미끄럼〉 버튼을 눌렀다. 동굴의 바닥이 서서히 밑으로 내려가기 시작했다. 나는 그때, 이 동굴을 이렇게 훌륭하게 꾸민 할리우드 특수 제작팀에게 깊은 감사를 드렸다. 알베르는 잠시 버둥거리다 속절없이 미끄러져 내려가기 시작했다. 구부정하고 모난 동굴을 그는 수십 차례 받혀가면서 팅기듯이 동굴을 빠져나갔다. 그는 바닥에 나 뒹굴어진 채로 한동안 일어날 생각을 하지 못했다. 그때 이런 방송이 들려왔다.

"고객님, 축하드립니다. 1단계를 무사히 건너셨습니다. 2단계도 변함없이 빨간 구멍과 파란 구멍이 60초 뒤에 나타났습니다. 당신의 현명한 선택이 당신을 구할 수 있습니다. 그럼 행운을 빕니다."

알베르는 악을 쓰며 겨우 일어났다. 그는 또 일어나자마자, 구멍 입구에 놓인 알약을 꼴딱 삼켰다. 아무리 약한 환각제라고 하지만 벌써 2알을 삼킨 그는, 허공에 뭔가가 나타났는지 팔을 휘우 적 휘우 적 저으며 알 수 없는 말을 지껄였다. 그러더니 이번에는 파란 구멍으로 먼저 들어갔다. 나는 그를 보면서 물에 빠진 생쥐가 불현듯 생각났다.

어릴 적 나는 저지대 빈민촌에 살았다. 낡은 집과 집 사이에 아주 좁은 도랑이 흘렀는데 그곳은 쥐의 천국이었다. 나는 집안 어디를 가든지 쥐와 마주쳤다. 변소에도, 부엌에도, 안방에도, 다락방에도 내 시선이 가는 곳에는 어김없이 쥐들이 몰려다녔다. 하릴없이 집에서 빈둥빈둥 놀았던 아버지는, 유난히 쥐를 무서워하는 어머니를 위해 매일 쥐덫을 놓았다. 철사로 엮어 만든 길쭉한 직육면체의 쥐덫 안에 미끼를 달아 놓고 문을 열어 두면 어김없이 다음날, 까만 눈동자에 겁에 잔뜩 질린 쥐가 걸려들었다. 그러면 아버지는 그 녀석을 곱게 죽이지 않았다. 빨간 대야에 물을 절반쯤 받아 놓고는 쥐덫을 거기에 담가 두었다. 그리고 꼭 나를 불렀다. 우리 부자는 다정하게 앉아, 좁은 우리 안에서 숨을 쉬려고 코끝을 하늘로 향한 채, 발버둥치며 수영하는 쥐를 재밌게 감상하곤 하였다. 그러다 결국, 쥐가 죽으면 아버지는 가죽을 벗기고 손질을 한 다음, 연탄불에 쥐 고기를 구웠다. 그 향긋한 향기를 나는 지금도 잊을 수 없다. 나는 침을 꼴깍꼴깍 삼키며 고기가 빨리 익기를 학수고대했다. 특히, 나는 쥐의 대가리를 아주 좋아했다. 아들을 끔찍이 사랑하셨던 나의 아버지는 모든 쥐의 대가리는 나에게 양보하셨다. 나는 쥐 대가리를 꾹꾹 씹으며 아버지의 사랑에 감복하곤 하였다. 그리고 공장에서 어머니가 퇴근해서 오기 전까지 우리는 말끔히 모든 증거를 없앴다. 어머니는 그 집을 끔찍이 싫어하셨지만, 아버지와 나에게는 사실 천국 같은 곳이었다. 나는 잠들기 전, 항상 내일이 빨리 오기를 빌었다. 그러면서 마치 쥐 대가리를 씹듯이 쩝쩝거렸다.

나는 지금, 처량하기 그지없는 몰골로 구멍에서 비실거리고 있는 알베르를 보면서 그때처럼 입을 쩝쩝거리기 시작했다. 그리고 곧바로 쉐프를 호출했다. 그가 나타나자마자, 나는 다음과 같이 명령했다.

"저기 저 화면에 보이는 녀석이 죽으면, 몸뚱이는 떼고 대가리만 장작불에 구워 오늘 저녁 메인 요리로 제게 올려주세요." 그러자 쉐프는 재밌다는 표정을 지으며 고개를 끄덕이고 돌아갔다.

나는 다시 입맛을 쩝쩝 다시며 이번에는 <워터> 버튼을 눌렀다. 그러자 동굴이 급격하게 가라앉기 시작했다. 그는 발악하면서 잠시 버티는가 싶더니, 거의 다이빙하듯이 밑으로 떨어졌다. 좁고 깊은 물웅덩이었다. 마치 우물과 비슷한 크기였다. 그는 허우적거리며 그곳을 빠져나오려고 발버둥을 쳤다. 나는 감탄사를 연발하며 이 장면을 지켜봤다. 어릴 적, 나를 행복의 도가니로 집어넣었던 바로 그 순간이었다. 물에 빠진 생쥐. 나는 등골이 오싹할 만큼 짜릿한 쾌감에 오줌까지 지릴뻔하였다.

알베르는 웅덩이 벽면을 손끝으로 잡고 올라오려고 하였지만 미끄러운지 계속해서 빠져들기만 하였다. 나는 그가 힘들게 올라오다 결국 미끄러질 때마다 손뼉을 치며 환호성을 질렀다. 하지만 나는 그를 여기서 익사시킬 생각은 없었다. 왜냐하면 이제 겨우 2단계였다. 적어도 5단계 정도는 되어야만 했다. 그래야만 나의 멋지고 훌륭한

동영상 작품을 건질 수 있는 것이었다. 그래서 나는 아쉽지만, 이쯤에서 <밧줄> 버튼을 눌렀다. 그러자 동굴 천장에서 밧줄이 천천히 웅덩이 한가운데로 내려오기 시작했다. 알베르는 마치 생쥐처럼 두려움에 가득한 눈동자로 힘들게 물으로 올라왔다. 그리고 한동안 누워 가쁜 숨을 몰아쉬었다. 나는 전지전능한 신의 눈으로 그를 쳐다봤다. 한 치 앞도 알 수 없는 허망한 인생이 곧 종료될 줄도 모른 채 그는 그저 헛된 희망을 품고 저렇게 살려고 발버둥 치고 있었다.

알베르는 비실거리며 다시 동굴 입구에 섰다. 그곳은 2단계 입구. 그는 이번에도 한 바퀴 빙글 돌아 원위치로 온 것이다. 그는 다시 알약을 하나 집어삼키고는 빨간 구멍으로 천천히 거의 기다시피 하면서 들어갔다. 나는 이쯤에서 내가 고안한 이 멋진 동굴의 비밀을 하나 정도는 살짝 흘리고자 한다. 그것은 바로, 당신이 빨간 구멍이던 파란 구멍이던 어디를 선택해서 들어가더라도 첫 선택은 항상 빙글빙글 돌아서 원위치로 오게 되어 있다는 것이다. 즉, 10단계를 모두 통과한다면, 당신은 모두 20번의 구멍을 무조건 지나가야 한다는 것이다. 내가 이렇게 만든 이유는 곧 알게 될 것이다.

브런치 스토리   41

남킹 컬렉션 #011

1월의 비

남킹 감성 소설집

남킹 컬렉션 #012

남킹의 문장 1

언어의 마법사 남킹의 문장들

블라드 체페슈 5

게임

　알베르는 결국, 4단계도 마치지 못하고 쓰러져 일어날 줄을 몰랐다. 나는 할 수 없이 그를 살균실에 데려가서 가스로 죽였다. 나는 맛있게 구운 그의 대가리 요리를 기대하며, 녹화한 동영상을 비디오 에디터에게 넘겼다. 그리고 지시했다. 모든 TV에 그의 영상을 송출하고 준비한 자막을 내보내라고….

　잠시 후, 카지노에 있는 모든 TV 화면에 동굴 영상이 떴다. 알베르가 동굴 입구에 서 있고 그의 앞에는 파란 구멍과 빨간 구멍이 놓였다. 그리고 자막이 흘렀다.

　<블라드 체페슈 실시간 서바이벌 1 + 1 동굴 게임. 파란 구멍이냐? 빨간 구멍이냐? 과연 그는 어느 구멍을 선택할 것인가? 당신이 맞추면, 베팅한 금액만큼을 추가로 돌려받을 수 있습니다. 시간은 단 60초. 서둘러 선택하여 주시기 바랍니다.>

　그리고 직원들을 시켜 준비한 <휴대용 베팅 리모컨>을 사람들에게 나누어 주었다. 그 리모컨에는 자신의 방 호실과 비밀번호를 입

력하면, 인증 과정을 거친 후, 베팅 금액 입력란과 빨간색 버튼과 파란색 버튼 중 하나를 선택할 수 있는 표시가 나타났다. 그리고 밑에는 60초의 시간이 1초씩 줄어들고 있는 액정 화면이 보였다. 0초가 되기 전에 모든 입력을 마쳐야만 게임에 참여할 수 있도록 만들었다. 베팅 금액은 최소 10,000달러로 책정하였다.

처음에 사람들은, 갑자기 나타난 새 게임에 어리둥절하면서 수군대기만 하였다. 당연히 참여한 사람도 극소수였다. 물론 나는 이것을 예상하였다. 아무튼 나는 처음 베팅한 결과를 신속하게 보고 받았다.

<1단계 참가자 수 : 13명, 빨간 구멍 : 9명 (110,000달러), 파란 구멍 : 4명 (40,000달러)>

나는 비디오 컨트롤 실 담당자에게 연락했다. 알베르가 빨간 구멍으로 들어가는 영상을 내보내라고. 그래, 이건 미끼였다. 처음에는 당첨자가 더 많아야 했다. 그래야 입소문이 삽시간에 퍼질 것이고 그들을 따라 수많은 물고기가 미끼를 덥석덥석 물것이다.

아니나 다를까, 카지노에 모인 몇몇 사람들의 환호성이 터져 나왔다. 인간은 영악하다. 특히 부자들은 더 영악하다. 그들은 대번에 이 간단한 게임을 이해하고 베팅을 하기 시작했다. 곧 2번째 결과가 나왔다.

<2단계 참가자 수 : 66명, 빨간 구멍 : 44명 (890,000달러), 파란 구멍 : 22명 (440,000달러)>

2단계도 당연히 빨간 구멍의 손을 들어 주었다. 그러자 카지노에 함성이 떠나갈 듯이 울려 퍼졌다. 나는 그 순간, 나의 뛰어난 지략과 비상하기 짝이 없는 능력에 감개무량하여 눈물까지 흘렸다. 나는 서둘러 나의 멋진 동굴을 탐방할 2번째 후보자를 뽑았다. 이번에는 좀 더 튼실하여 최소 5단계 이상은 버틸 수 있는 인간으로 선정했다. 그리고 차츰차츰 그리고 아주 신중하게 적은 사람이 선택한 구멍이 당선될 수 있도록 조작했다.

얼마 지나지 않아 동굴 게임의 참가자는 입주자 대부분이 참가하는 인기 게임이 되었다. 그리고 나의 통장으로 상상을 초월하는 돈이 들어오기 시작했다. 그리고 아주 당연하게도, 빈털터리 입주민이 하나둘씩 생겨나기 시작했다. 나는 그들을 꼬드겨 동굴로 차례로 내보냈다. 그렇게 그들은 내게 모든 돈을 바치고, 결국에는 자기 몸도 고기로 바쳤다. 사람들은 자기 이웃이 사라지는 줄도 모르고 게임에 열광하고 있었다.

　하지만 나는 알고 있었다. 언제까지 이 장난을 할 수 없다는 사실을…. 입주민들도 눈과 귀가 있는데 차츰차츰 줄어드는 주위의 이웃들에 대하여 의심을 안 할 수는 없는 법. 하지만 나는 언제나 꿰고 있었다. 시작할 줄도 알면 끝낼 줄도 알아야 한다는 것을…. 그리고 나는 이 모든 것을 끝낼 마지막을 위하여 모든 것을 조금씩 조금씩 준비하고 있었다는 것을…. 나는 입주민이 절반쯤 줄어들었을 때 나의 마지막 계획을 실행에 옮겼다.

남킹 판타지 소설집

하니은 매화

남킹 컬렉션 #015

남킹 컬렉션 #019

이방인

남킹 장편소설

블라드 체페슈 6

뱀파이어

　나는 점점 더 노골적으로 피를 곳곳에 뿌리고 음식에는 환각제의
양을 늘려나갔다. 그리고 한 번씩 사람의 절단한 다리나 팔을 식탁
에 올려놓았다. 이미 인육과 피 냄새에 길든 그들은 초기의 거부 반
응에서 돌아서서 점점 노골적으로 환영을 표시하고, 피가 뚝뚝 떨어
지는 살점을 씹어 삼키기 시작했다. 나는 목욕탕과 샤워실, 각종 생
활용수, 식수에도 피를 섞도록 지시하였다. 그리고 가공식품을 줄여
나갔다. 뭐 이유는 간단하게 둘러댔다.

　　〈비축해둔 식품이 얼마 남지 않았습니다.〉

　이제 블라드 체페슈 성은 피 냄새가 진동하는, 진정한 의미의 드
라큐라 성이 되었다. 나는 조명을 점점 더 붉고 어둡게 만들었다. 그
리고 좀 더 기괴한 장식품들을 진열했다. 마지막으로 음식값을 매일
매일 올리기 시작했다. 환각과 피 냄새에 취한 성의 주민들은 날이
갈수록 점점 뱀파이어처럼 변해갔다. 나는 그들의 피를 남은 한 방
울까지 쪽쪽 빨아먹기 위해, 매일 피의 축제를 열었다. 그들은 점점
미쳐갔다. 그리고 마지막 남은 인성을 내려놓은 듯, 서로를 공격하기
시작했다. 쓰러진 녀석의 피는 아낌없이 쭉쭉 빨렸다. 그들은 이제

진정한 뱀파이어가 되었다. 나는 이 광경을 지켜보며, 드디어 떠날 때가 되었음을 직감했다.

어느 날 나는 집사, 헬기 조종사와 함께 조용히 성을 빠져나갔다. 그리고 가까이에 마련한 헬리콥터 격납고로 향했다. 우리는 중요 서류가 든 돈 가방을 싣고 출발했다. 그리고 나의 블라드 체페슈 성 상공을 천천히 돌면서 비행했다. 나는 발아래에 펼쳐진 멋진 나의 성을 감회에 젖은 채 한동안 바라봤다. 그리고 가방에서 리모컨을 꺼내 크게 심호흡을 하고 버튼을 눌렀다. 그러자 성 곳곳에 설치해 둔 폭탄이 연쇄적으로 폭발했다. 화염은 기대보다 훨씬 크고 장엄했다. 나는 내 얼굴이 화끈거릴 정도의 열기를 느꼈다. 나는 아주 잠깐이지만, 나의 성에서 영문도 모르고 죽어가는 불쌍한 영혼들을 위로했다. 그리고 기수를 바닷가로 돌리도록 명령했다.

무인도

조그마한 항구에 도착한 나는 조종사와 작별하고 집사와 함께 준비해둔 요트에 올라탔다. 그리고 태평양에 있는 작은 섬으로 향했다. 바로 내가 후원한다는 백신 연구소가 있는 곳이었다. 하지만 연구소는 그냥 간판만 있을 뿐, 실상은 나의 별장이었다. 나는 이미 오래전부터 이곳 무인도를 사들여 고급 저택을 짓고 필요한 물품과 관리원을 마련해 두었다. 나는 이곳에서 바이러스가 잠잠해질 때까지 은둔

하며 나의 자그마한 왕국을 통치할 생각이었다.

　따스한 바닷바람이 살랑살랑 부는 어느 날 나는 마침내 나의 섬에 도착했다. 마중 나온 관리원은 집사만큼 나이가 든 할머니였다. 그리고 그녀의 옆에는 젊고 날씬한 여인이 긴 생머리를 날리며 서있었다. 그녀는 나를 보더니, 친근한 미소를 지으며 내 가방을 선뜻 들고 앞서 나갔다. 나는 그녀의 섹시한 엉덩이를 바라보며 나의 왕궁으로 걸어서 갔다.

　별장은 생각보다 훨씬 크고 산뜻했다. 그동안 꾸준히 돈을 투자한 보람이 느껴졌다. 나는 전면에 난 유리문을 활짝 열었다. 그러자 상쾌한 바닷바람이 쉴 새 없이 나의 뺨을 매만졌다. 나는 나의 시선이 닿는 곳 끝까지, 에메랄드빛 바다가 끝없이 펼쳐진 수평선을 감탄으로 맞이했다. 나는 행복에 겨워 눈물이 날 지경이었다. 이런 날이 올 줄 알고 있었지만, 막상 그날이 되고 보니 주체할 수 없는 감격이 밀려왔다. 더럽기 짝이 없는 빈민가의 자식이 이제는 셀 수도 없는 엄청난 돈을, 유명한 은행 비밀 금고마다 꽉꽉 채웠으니 어찌 놀랍지 않을 수 있으리오!

　곧이어 집사가 저녁이 준비되었음을 알려왔다. 그들이 준비한 요리는 다시 한번 나를 감동하게 했다. 크고 싱싱한 해산물과 열대 과일이 보기만 해도 군침이 넘어가게 했다. 나는 돈의 놀라운 능력에 흠뻑 젖은 채, 음탕한 눈초리를 젊은 여성에게 보내며 어기적어기적 음식을 입속에 집어넣었다. 그러는 사이 해가 지고 있었다. 식탁 주위로 붉은빛이 찬연하게 몰려왔다. 나는 그 빛 속에 생글생글 웃고 있는 맞은 편 여인을 바라보며 주책없이 많은 음식을 뱃속에 집어넣고 말았다. 그리고 며칠 동안 이어진 선상 생활의 여독 때문이었을까? 나는 식사가 끝나자마자 심하게 피곤함을 느꼈다. 그래서 짧게 샤워를 하고는 곧바로 잠자리에 들었다.

****

나는 비몽사몽간에 눈을 떴다. 왠지 이상한 게, 목과 발목이 따끔따끔함을 느꼈다. 그런데 뭔가 이상했다. 시커멓게 생긴 뭔가가 퍼덕거리며 마치 목을 할퀴는 듯이 내게 찰싹 달라붙어 있었다. 나는 크게 소리를 지르며 벌떡 일어났다. 그리고 방 스위치를 찾아 불을 켰다. 그리고는 소스라치게 놀라고 말았다. 수백 마리의 박쥐가 방안을 가득 메우고 있었다. 나는 다급하게 전면 유리문으로 몸을 날렸다. 그런데 유리가 산산조각이 나면서 유리 조각 하나가 나의 목, 동맥을 찌르고 말았다. 피가 분수처럼 쏟아졌다. 나는 얼마 가지 못하고 달려드는 박쥐의 무게에 짓눌려 쓰러졌다. 피가 얼굴 전체를 삽시간에 덮기 시작했다. 그리고 몸이 점점 굳기 시작했다. 나는 이제 손가락질하나 까딱할 수 없었다. 그리고 의식이 점점 떠나가고 있음을 느꼈다.

나는 마지막으로 생각했다. 내가 누군가? 최고의 천재이지 않은가!

이런 날이 올 줄 알았다. 어찌 보면 안 오는 게 이상한 거였다. 숱하게 많은 악행을 저질렀으니, 언젠가 심판받을 날이 오리라는 것을 나는 잘 알고 있었다. <앤탁틱디오스흡혈박쥐>는 물개보다 시원하고 맛있는 나의 피에 환장하고 있었다. 나는 단지 그날이 생각보다 일찍 온 것에 미련이 남을 뿐이었다.

<끝>

거리를
비워두세요

남킹 음악에세이

남킹 컬렉션 #020

사랑 그 쓸쓸함

에 대하여

남킹 음악산문

남킹 컬렉션 #021

시시포스 1

1부

세르게이 흘라디는 진동에 눈을 떴다. 하지만 한참을 누워 있었다. 몸이 천근만근이었다. 입에서 시멘트 가루가 씹혔다. 천장을 보니 어제보다 더 갈라져 있었다.

젠장 여기서 더 자기는 글렀네.

그는 억지로 상반신을 세웠다. 발밑에 검은 비닐이 채였다. 하얀 구더기 몇 마리가 한가로이 비닐 속과 겉을 돌아다녔다.

구더기보다 못한 인생.

그가 막 일어서려는 순간, 폭발음과 함께 맞은편 유리창이 산산조각이 났다. 그는 속절없이 쓰러졌다. 눈이 따끔거리더니 세상이 붉게 보이기 시작했다. 바닥이 온통 유리 조각이었다.

젠장, 그냥 방공호에서 자는 거였는데.

그는 바닥을 짚은 손에서 따끔거리는 통증을 느끼며, 억지로 다시 몸을 세웠다. 공간이 온통 저녁노을에 싸인 것처럼 보였다.

****

세르게이는 절뚝거리며 거리로 나섰다. 유리 조각을 빼낸 무릎에서 피가 흘렀다. 도시는 어제보다 좀 더 망가졌다. 교회 종탑이 구겨진 채 보도에 뒹굴었다.

이제 시끄러운 교회 종소리를 들을 일은 없겠구먼.

거리는 조용했다. 움직이는 것은 그와 개뿐이었다. 앙상한 몰골의 개는, 세르게이의 피 냄새에 끌려, 본능적으로 그의 주위를 맴돌았다. 세르게이는 주머니에 있는 칼을 만지작거렸다. 녀석이 좀 더 가까이 다가오면 칼을 휘두를 생각이었다. 그는 사흘을 내리 굶었다. 그저 보드카 한 잔 얻어 마신 게 다였다.

제발 가까이 다가오너라. 네 놈 피라도 마셔야겠다.

하지만 녀석은 그의 의중을 눈치챘는지, 일정한 간격에서 머물렀다. 할 수 없이 세르게이가 개에게 다가갔다. 하지만 그의 느린 발걸음에 비해 녀석은 아직 민첩했다. 당최 간격이 줄어들지 않았다.

뭔가 미끼라도 하나 있으면 좋으련만.

세르게이는 흐린 눈으로 사방을 둘러봤다. 숨어 있던 인간들이 하나둘씩 모습을 드러냈다. 그들은 부서진 건물 더미에서 뭔가를 찾는 듯 보였다. 다들 한 손에는 비닐봉지를 들고 있었다. 그도 그곳으로 가려고 도로를 막 건너려는 순간, 폐차 직전의 모습을 한 트럭 한 대가 털털거리며 그의 앞에 섰다. 문이 벌컥 열리더니 여자 두 명이 내렸다. 낡은 스카프로 얼굴을 가린 그들은 성큼성큼 개에게 다가갔다. 겁을 잔뜩 집어먹은 개는 크게 짖으며 물러섰다. 그때, 키가 큰 여자가 품에서 권총을 꺼내 개에게 발사했다. 빵 하는 소리에 작은 새들이 후드득 날아갔다. 그들은 쓰러진 개를 질질 끌고 가더니 트럭 짐칸으로 던졌다. 그리고는 서둘러 차를 몰고 사라졌다. 세르게이는 입맛을 쩝쩝 다시며 트럭이 사라진 곳을 한동안 쳐다봤다.

＊＊＊＊＊＊＊＊＊＊＊＊

세르게이는 그날 오후 운이 좋았다. 폐허 더미에서 뜯긴 커피콩 한 봉지를 발견하고 비닐봉지에 잽싸게 넣었다. 그는 사방을 천천히 둘러보고 외진 곳으로 향했다. 하지만 이내 발걸음을 멈추었다.

어이, 친구!

그가 뒤돌아보니 이반이었다. 세르게이는 봉지를 꽉 움켜쥐고 반가움을 표시했다.

이게 얼마 만이지? 이반.

글쎄, 족히 일 년은 넘은 것 같은데. 세르게이.

이반은 몇 개 남지 않은 이빨을 드러내며 합죽하게 웃었다.

벌써 그렇게 되었나?

세르게이는 이반과 헤어진 그 날을 기억하고 싶었다. 하지만 머릿속은 백지장처럼 하얬다.

너 기억력은 여전하구나. 하늘에서 폭포수처럼 쏟아지던 백린탄 기억 안 나?

이반은 그날이 마치 어제였던 것처럼, 하얗게 질린 표정을 지으며 너스레를 떨었다.

그래 맞아. 그랬지. 하늘을 온통 다 덮고도 남았지.

세르게이는 하얀 눈송이가, 하늘에 흔적을 남기며, 포물선으로 떨어지던 광경을 떠올렸다.

그때 너가 외쳤잖아. 구경나온 주민들에게. 빨리 피하라고. 저거 맞으면 살이 쪼그라드는 고통 속에 죽게 된다고. 기억 안 나?

그래 맞아. 내가 그랬지. 아무도 몰랐지. 나만 알고 있었지.

세르게이는 이제 눈 앞에 펼쳐진 곳을 벗어나려고 발버둥 치는 그날을 생생하게 끄집어냈다.

그래, 특수 공작원 출신은 너뿐이었으니까.

＊＊＊＊＊＊＊＊＊＊＊＊＊

세르게이가 군에 자원입대한 것은 다분히 충동적이었다. 그는 다섯 형제의 막내였다. 집은 가난했지만, 형제간 우애는 두터웠다. 그는 특히 셋째 형 그레고리를 좋아했다. 그레고리는 형제 중 유일하게 어머니의 투명한 푸른 눈을 가지고 태어났다. 그는 금발에 콧날은 오똑하고, 얄팍한 입술에는 늘 미소를 머금었다. 그는 누구를 만나던 지 항상 속삭이듯 말하였고, 상대방을 기분 좋게 만드는 단어를 자연스럽게 녹아낼 줄 알았다. 그는 여자를 좋아하고 여자들은 그를 무척 따랐다.

그는 열여덟에 옆집에 사는 옥사나를 임신시켰고, 스물셋에 정육점 주인 딸, 이리나가 배가 불러오자 그녀와 동거를 시작했다. 이때쯤 세르게이는 그레고리 집에 더 자주 머물렀다. 이리나가 아침에 차려주는 향긋한 고기 수프의 맛을 세르게이는 아직도 또렷하게 기억하고 있다. 대부분 잡뼈에 살점이라곤 쥐꼬리만큼 붙어 있는 멀건 국이었지만, 그는 목구멍으로 따스한 국을 넘길 때마다, 흐릿하게 흔적만 남아있는 어머니의 사랑을 느끼곤 하였다.

그레고리는 직업이 없었다. 하지만 수중에 돈은 떨어지지 않았다. 그는 건달이었다. 그리고 그는, 체질적으로 어디에 소속되어 누군가의 명령을 받는 것을 극히 싫어하여 늘 혼자 다녔다. 가끔 동생 세르게이가 따라오면 마지못해 같이 다니곤 하였다. 그런데도 동네에서 그에게 시비를 거는 이는 극히 드물었다. 세르게이의 첫째 형, 니콜라이 때문이었다. 그는 흑해를 기반으로 한, 마피아 조직에서 이름이 알려진 보스이자 성공한 사업가였다. 비록 지금은 감옥에 갇혀 있지만, 그의 이름은 여전히 존경과 공포의 상징이었다.

그레고리의 일상은 단순했다. 그는 집에서 오전 내내 뒹굴다, 오후 늦게 두 블록 떨어진 전당포로 가서 일거리를 받았다. 그 전당포 주인은 유대인으로 악성 고리대금업자였다. 그는 니콜라이에게 매달 일정 금액을 상납하여 보호받았으며, 그레고리에게 돈이 될만한 일거리를 줌으로써 끈끈한 유대관계를 이어갔다. 그레고리가 주로 하는 일은, 제때 돈을 갚지 못하는 채무자를 찾아가서 협박하여 돈을 받아 내는 거였다. 그는 폭력적이었지만 주먹을 자주 휘두르지는 않았다. 그는 채무자의 집이나 가게를 방문하면, 우선 내부를 샅샅이 뒤져 돈이 될만한 물건들을 먼저 챙겼다.

그레고리는 가치 있는 고문서나 골동품, 미술품들을 알아보는 안목이 좋았다. 보통 채무자의 주거 공간에는 그들이 알지 못하는 귀한 물건들이 한두 개 정도는 방치된 채 처박혀 있기 마련이었다. 그마저도 발견하지 못한 경우에는, 그는 약간이라도 돈이 될만한 물건들은 모두 쓸어 담았다. 그런데도 변제액에 한참 미치지 못하는 상황이 되면 그레고리는 채무자의 가족을 살폈다. 그들 중 제법 마음에 드는 이가 보이면 그는 조용히 따로 불러 종이쪽지를 건네며 속삭였다.

돈을 갚을 기회를 너에게 주겠다. 꼭 시간을 지키도록.

종이쪽지에는 약속 장소와 날짜, 시간이 적혀있었다. 장소는 주로 호텔이었다. 그레고리는 채무자의 아내 혹은 성숙한 딸과 관계를 맺고

빚을 탕감해주었다. 그는 특이한 습관이 하나 있었다. 그것은, 그와 잠자리를 한 여인에 관한 특징을 작은 수첩에 기록하여 늘 품속에 넣어 다녔다. 하지만 누구에게도 그것을 자랑하지는 않았다. 오직 세르게이만 알고 있었다. 세르게이는, 수첩이 꽉 차면 그레고리가 비밀리에 그 수첩을 보관하는 장소를 공유하는 유일한 형제였다. 그곳에는 수십 개의 수첩이 보관되어 있었다. 그레고리는 마치, 세상의 모든 여인을 탐하는 것이 삶의 목적이자 자부심인 것처럼 행동했다. 그리고 그런 그를 세르게이는 존경했다.

그레고리는 행복했다. 그는 두 명의 사랑스러운 자식이 있고, 착한 여자 친구가 있으며, 머잖아 자신의 욕구를 채워 줄 여인들이 예정되어 있었다. 하지만 그의 행복은 세르게이가 스물두 살이 되던 그해, 끝을 향해 달리고 있었다.

****

유난히 무더운 여름이었다. 그레고리는 그날, 허름한 호텔에서 막 뜨거운 정사를 끝내고 시원한 맥주를 마시러 카페에 자리를 잡았다. 자신이 조금 전에 머물렀던 호텔이 바라다보이는 곳이었다. 후덥지근한 바람이 불었다. 하지만 그는 상쾌하다고 느꼈다. 조금 전까지 자신의 품에서 버둥거리며 비음을 내던 그녀는 보기 드물게 청순했다. 그는 그녀의 반짝이는 녹색 눈에서 흘러내리는 한줄기 눈물을 바라보며 생각했다.

이런 여인이라면 모든 빚을 탕감해주고도 남지.

이윽고 그레고리 앞에 큰 맥주잔이 놓였다. 그는 서둘러 맥주를 한 모금을 들이켰다. 기분 좋은 찬 기운이 목구멍을 훑고 지나갔다. 그는 흡족한 미소를 지었다. 그는 맥주잔을 내려놓기 무섭게 다시 들어 올려 꿀꺽꿀꺽 맥주를 더 삼켰다. 그리고 탁자에 맥주잔을 내려놓고 호텔을 바라봤다. 온통 그녀 생각뿐이었다.

기회가 되면 또 만나야겠어. 그런 멋진 여자를 그냥 한 번으로 끝내기는 아쉽지.

그는 습관대로 안주머니에서 작은 수첩과 볼펜을 꺼냈다. 수첩을 펼치고 그는 그녀에 대한 느낌을 적으려고 볼펜을 막 들었다. 하지만 그는 한 글자도 적을 수가 없었다. 호텔 5층 베란다에 어떤 여인이 서성거리는 모습이 그레고리의 눈에 들어왔기 때문이었다. 그는 그녀를 좀 더 가까이에서 보기 위해 자리를 박차고 호텔로 성큼성큼 걸어가기 시작했다. 가까이 갈수록 점점 선명해지는 얼굴. 바로 조금 전 그레고리의 품에 안겼던 그녀였다. 그는 기쁜 마음에 좀 더 가까이 다가가서 그녀에게 소리쳐 부르려고 하였다. 하지만 그녀는 그를 쳐다보며 베란다에서 뛰어 내렸다.

그의 발 앞에 그녀는 철퍼덕거리며 부서졌다. 그녀의 팔과 다리가 기괴한 모습으로 부러졌다. 머리는 깨져 골수가 흘러나왔다. 배는 터져 창자가 쏟아졌다. 얼굴 반쪽은 심하게 찢어졌고 눈알은 으깨어졌다. 그런 와중에도 그녀는 그레고리를 응시하며 저주 섞인 말을 내뱉었다.

안돼! 이 더러운 개자식아!

사람들이 몰려나와 그녀 주변을 에워쌌다. 하지만 그녀의 참혹한 모습을 목격한 이들은 모두 중얼거리며 눈을 돌릴 수밖에 없었다. 그녀의 한쪽 눈은 그레고리를 응시한 채, 그녀는 더 이상 움직이지 않았다. 사람들 사이에 고성이 오가고 의사로 보이는 이가 달려와 그녀의 코와 목에 손가락을 갖다 대었다. 그리고 고개를 설레설레 저었다. 그녀의 얼굴에 누군가 손수건을 덮었다. 어떤 이는 성호를 그었고 어린이는 울음을 터트렸다. 그레고리는 끝을 알 수 없는 심연에 빠진 듯, 무겁고 참담한 표정으로 발걸음을 돌렸다.

****

세르게이는 지금껏 그런 모습 그런 표정의 그레고리를 본 적이 없었다. 그레고리는 열악한 상황에서도 미소를 잃지 않는 도도한 자존감을 늘 풍기고 다녔다. 하지만 그날, 집으로 어기적어기적 들어온 그레고리는 가족의 반가움도 외면한 채 곧바로 세면대로 가 한동안 나오지 않았다. 물소리만 들렸다. 세르게이와 이리나는 감히 그레고리에게 다가가 물어볼 엄두가 나지 않았다.

뭔가 크게 잘못된 게 틀림없어!

세르게이는 형수를 처다보며 말했다.

형수님, 제가 한번 알아보겠습니다.

밖으로 나온 세르게이는 잠시 어디로 가야 할지 고민했다.

그래, 전당포부터 가야겠다. 그 늙은 유대인 영감탱이가 뭔가 나쁜 짓을 한 게 틀림없어.

하지만 세르게이가 전당포 쪽으로 발길을 돌리려는 순간, 그는 두 명의 경찰과 마주쳤다. 세르게이는 그들이 반가웠다. 왜냐하면 그들은 매달 한두 차례 형 집을 방문하여 돈을 받아 가는 익숙한 얼굴이었다. 그중에 한 사람은 그레고리의 친구이기도 한, 파울로였다. 그레고리는 그동안 수익의 일정 부분을 경찰 입막음으로 상납하였다.

세르게이! 마침 잘 만났다. 그레고리 지금 어디에 있어?

파울로가 어두운 표정으로 물었다. 평소와는 다른 모습이었다. 그는 그레고리 집을 방문할 때면, 늘 지나치게 반가운 표정으로 들어와 이것저것 실없는 농담을 하다가 그레고리가 건네는 돈을 잽싸게 주머니에 넣고 사라지곤 하였다. 세르게이는 뭔가 불길함을 직감했다.

형은 왜 찾는데? 무슨 일이 있는 거야?

세르게이는 굳은 얼굴로 파울로를 바라봤다.

응, 여자가 호텔 베란다에서 뛰어내려 죽었어.

그 말을 듣는 순간, 세르게이는 단박에 어떤 상황인지 알아차렸다. 형이 그 여자와 같이 있었다는 사실을.

그 죽은 여자는 누구야?

세르게이는 그레고리가 건드린 동네 여자들 대부분은 알고 있었다.

우리 동네 여자가 아냐.

파울로도 세르게이가 묻는 의도를 알아챈 듯이 대답했다.

그런데 뭐가 문제야? 설마 우리 형이 그 여자를 베란다에서 떠밀기라도 했다는 거야?

세르게이는 삐딱한 표정으로 경찰들을 째려봤다.

아니, 그건 아니야. 여자가 스스로 뛰어내렸어. 왜냐하면 그레고리는 그 시간, 카페에서 맥주를 마시고 있었으니까. 카페 종업원이 이미 증언했어.

그런데?

세르게이는 이제 건방진 표정으로 그들 앞에서 건들거렸다. 조금 전의 불길함이 기우였다는 확신이 들어서였다.

문제는 그 여자의 친척 중 한 사람이 정보국 소속 고위 간부라는 거야. 한마디로 잘못 건드린 거지.

파울로가 딱하다는 표정으로 세르게이를 쳐다봤다.

＊＊＊＊＊＊＊＊＊＊＊＊＊

그레고리는 강간 혐의로 체포되었다. 그리고 그를 돕기 위해, 세르게이의 둘째 형, 올리거가 발 벗고 나섰다. 그는 수감 중인 니콜라이 형을 대신해 시시포스 지역 마피아 총책을 맡고 있었다. 그는 지역 정치인, 유력 인사, 경찰 관계자, 법조인들을 두루 만나고 다녔다. 세르게이는 형의 차를 운전하며 줄곧 그와 동행했다. 그들의 만남은 매우 짧았다. 대화한다기보다는 협박성 회유에 가까웠다. 그도 그럴 것이 이 지역 출신 인사 중 형의 도움을 받지 않은 이는 손에 꼽을 정도였다.

결국 타협이 이루어졌다. 감옥 대신 군에 입대하여, 그레고리가 시시포스를 당분간 떠나는 것으로 마무리하였다.

비가 피처럼 끈적거리며 내리던 날이었다. 구름이 어둑어둑하게 끼어 그레고리의 얼굴을 더욱 어둡게 하였다. 세르게이가 운전대를 잡았다. 그레고리는 무거운 배낭을 트렁크에 던지듯 집어넣고 세르게이 옆자리에 올라탔다. 그를 따라 나온 이리나는 이미 눈두덩이 퉁퉁 부어있었다. 비는 구부정하게 뻗은 길과 풀밭을 적시고, 그녀의 부풀어 오른 배를 감싼 얇은 임신복을 적셨다.

세르게이는 기나긴 길에 놓인 무정형의 불안을 보았다. 이제껏 느껴 보지 못한 불길함과 안타까움이 한꺼번에 솟아났다. 하지만 그레고리는 편안한 표정이었다. 그는 마치 흐려진 방에 꺼진 불꽃에 대한 어떤 미련도 두지 않은 것처럼 무심하게 밖을 쳐다봤다. 무엇으로도 거역할 수 없는 운명의 연기만 허공에 낮게 날렸다.

이리나는 점점 멀어졌다. 차는 좁은 도로를 벗어나 경사가 완만한 길을 따라 상점, 카페, 레스토랑이 줄지어 있는 시내로 접어들었다. 거리는 붐비고 음악은 산만하게 다른 방향으로 흩어졌다. 번화가를 벗어나며 도시의 풍경이 조금씩 변해갔다. 시내의 공원과 정원이 사라지고, 늙은 농부가 구부정한 시선을 가득 채운 벌판이 나타났다. 세르게이는 속도를 높였다. 비가 거세게 쏟아졌다.

****

훈련소에 도착하니 어느새 해가 떨어졌다. 비는 그쳤다. 그레고리는 깊은 한숨을 쉬며 내렸다. 세르게이가 짐을 들고 입구에 있는 헌병 초소에 다가갔다. 모든 것이 정지한 공기 속에 머무는 듯, 그들의 모습은 인형처럼 보였다. 간단한 조서가 이루어졌다. 반가운 얼굴을 짓는 접수처의 그녀는 그레고리를 마치 오래된 연인처럼 빤히 쳐다보며, 그가 내민 서류에 대해 눈짓을 이어갔다. 그녀의 볼이 꽤 볼록하다고 느낀 세르게이는 뒤편에 붙은 포스트를 하나하나 유심히 지켜보며 잠시 후 벌어질 형과의 작별을 마음속에 그렸다.

어느 것 하나 익숙하지 않은 이별. 그레고리는 마침내 세르게이의 손을 잡으며 오랫동안 간직한 말을 쏟아 냈다.

형수를 잘 부탁해!

그레고리는 검은 커튼이 두텁게 내려온 방으로 사라졌다. 세르게이는 한동안 그곳에 머물렀다. 마치 그는 다음의 행동이 어떻게 이어져야 할지를 모르는 초등학생처럼 서성거렸다.

그러고 보니 형이 없는 세상을 살아 본 적이 없었구나

세르게이는 벽을 장식한 포스터를 하나하나 다시 짚어 가기 시작했다. 검은 하늘은 쌀쌀한 날을 예고했다. 더위는 한풀 꺾었다. 습도는 높으나 숨쉬기에 적당한 온도가 무엇이든 집중하지 않으면 안 될 정도로 혼란이 다가왔다. 세르게이는 마침내 접수처에 앉은 여인에게 말을 걸었다.

특수 부대에 지원하고 싶습니다.

여인은 그가 내민 주민증을 비딱한 각도로 쳐다봤다. 그리고 아무 말 없이 그의 신상을 적고 서류를 세르게이에게 내밀었다.

여기, 여기, 여기 서명을 하세요.

세르게이가 서명한 서류를 내밀자 그녀는 무채색의 표정으로 말했다.

전과는?

없습니다.

모든 것은 조회를 통해 다 드러납니다. 다시 한번 묻겠습니다. 전과는?

없습니다.

세르게이의 말이 떨어지기 무섭게 그녀는 크고 붉은 도장을 서류의 중간에 눌렀다.

저기 저 검은 문으로 들어가세요.

세르게이는 망설임 없이 그곳으로 들어갔다. 들어가서 보니 또 다른 정적 위에 다른 문이 놓였다. 잠시 망설인 그는, 이곳을 지난 그레고리의 숨결을 느끼듯 익숙하게 다시 문을 열었다. 지나치게 큰 연병장이 나왔다.

남킹의 음악과 글

브런치 스토리

남킹 컬렉션 #031

시시포스 2

2부

빅토르 흘라디는 담배 냄새에 눈을 떴다. 이어 딸깍거리는 소리에 진한 커피 향이 몰려왔다. 그는 미간을 찌푸리며 돌아누워 눈을 감았다. 늘 익숙한 아침 풍경이지만 그는 여전히 적응하지 못하고 있다.

소피아! 제발 창문 좀 열고 담배 피워!

지금 창문을 연다고? 맙소사! 당신, 날아가고 싶은 거야?

빅토르는 눈을 살짝 떴다. 그리고 좌측 전면을 온통 차지하는 창을 바라봤다. 일정한 간격으로 심어 놓은 가로수가 미친 듯 춤을 췄다. 멀리 보이는 숲은 웅성거리고 있었다. 가까이에는, 흰 가운을 입은 연구원 몇 명이 벽면 구석에 둘러선 채 불안한 모습으로 담배를 피우고 있었다.

어휴, 중독이 뭔지? 이런 날에도 저렇게 한 모금 빨려고 저 고생을 하고 있으니.

빅토르는 반대편으로 돌아누워 다시 잠을 청했다. 몸이 천근만근이었다. 그는 새벽 다섯 시에 겨우 잘 수 있었다. 하지만 마음은 편치 않았다. 실험이 계속해서 실패했다. 머릿속이 마치 스파게티처럼 얽히고설켰다. 미적분학, 행렬 대수학, 상미분 방정식, 푸리에 변환 등의 수학적 도구와 알고리즘이 그를 갉아 먹고 있었다. 일촉즉발의 시한폭탄 같았다. 그런데 담배 냄새가 다시 그의 후각을 맹공격했다.

소피아! 제발! 담배 좀 끄란 말이야! 내 머리가 터질 지경이야!
빅토르는 벌떡 일어났다. 그리고 성큼성큼 그녀에게로 다가가 그녀의 손가락에 달린 담배를 뺏어 재떨이에 비벼 껐다. 담배꽁초는 마지막 숨을 헐떡이듯 한줄기의 푸른 연기를 뿜으며 숨을 거뒀다. 이 장면을 지켜보던 소피아의 입술이 빈정거림으로 비뚤어지기 시작했다.
내 언젠가 이런 날이 올 줄 알았어! 이 저급한 사기꾼 같은 녀석아!

뭐? 사기꾼이라고?
그래! 이 변태 같은 자식아! 이 집에 올 때 너 입으로 뭐라고 씨부렁거렸는지 기억도 나지 않지? 이 바보 새끼야!
빅토르는 그녀가 지금 무슨 얘기를 하는지 잘 알고 있다. 3년 전, 술집에서 첫눈에 소피아에게 홀딱 빠졌던 그는 이내 그녀의 상태를 파악하였다. 그녀는 술과 담배, 커피와 섹스에 빠져 있었다. 이미 예정된 불행이었다. 하지만 그는 그녀가 미치도록 좋았다. 마치 좌석 같다. 정확히 정반대의 세상에 사는 음극. 양극의 무모한 끌림은 모든 것을 포용했다.
소피아! 이 집에서 내 눈치 볼 것 없어. 알았지! 너 하고 싶은데로 해! 나는 너의 모든 것을 사랑해. 무슨 말인지 알겠지! 너만 있으면 돼!

****

다섯 형제 중 넷째인 빅토르는 다른 형제와 달랐다. 그는 소심하고 내성적이고 외톨이였다. 외모도 달랐다. 그는 작고 깡마르고 약간 구부정했다. 다섯 형제 중 누가 봐도 그는 돌연변이였다. 그의 출생은, 그러므로 부모에겐 갈등의 씨앗이었다. 그가 세 살이 되던 해, 막내 세르게이를 출산 한 어머니는 집을 나가 버렸다. 아버지는 알코올 중독자였다. 빈 보드카 병이 집안 곳곳을 채웠다. 그러므로 집안의 중심은 첫째 형 니콜라이였다. 그는 폭력으로 동생을 다스렸다.

빅토르가 고등학교에 진학할 때쯤, 흘라디 형제는 시시포스 시에서 두 가지로 꽤 유명하였다. 니콜라이의 뛰어난 사업 수완과 빅토르의 천재성. 빅토르는 물리학과 수학에 남다른 재능을 보였다. 그는 집이 무서웠다. 아버지와 형 니콜라이가 두려웠다. 그는 학교가 파하면 도서관과 실험실에 틀어박혀 뉴턴의 운동 법칙, 키네마틱스, 다양체와 벡터 해석을 공부하고, 토르크 및 관성 모멘트, 제어 이론과 같은 엔지니어링 수학 개념도 들여다봤다. 그는 더 나아가 상태 공간 모델링, 라플라스 변환, PID 제어 등의 수학 개념을 응용하기 시작했고, 확률과 통계, 최적화 이론 등의 수학적 기법을 활용하고 디지털 신호 처리, 필터링, 확률론적 신호 처리 등의 수학적 원리를 응용했다. 이 외에도 전기공학, 물리학, 컴퓨터 과학 등 다양한 학문 분야를 파고들었다. 그는 춥고 쓸쓸한, 도서관의 딱딱한 의자에 앉아 쏟아지는 졸음을 참으며 악착같이 공부했다. 그는 현실의 고통을 더 큰 고통으로 해결했다.

이즈음, 그의 학문에 대한 몰입을 방해하는 것은 딱 하나였다. 정육점 주인 딸, 이리나였다. 초등학교 단짝이었던 그녀와의 인연은 중학교, 고등학교에도 같은 반으로 이어졌다. 하지만 외골수 천재였던 빅토르와는 달리 그녀는 무척 활달하고 외향적이었다. 그녀 주위에는 항상 친구들이 차고 넘쳤다. 그 틈을 비집고 빅토르가 설 자리는 없었다. 그는 늘 그녀를 바라보지만, 그녀의 반짝이는 눈은 항상 주위의 다른 이들에게 머물렀다.

****

소피아! 미안해. 그냥 일이 안 풀려서 그런 거야.

빅토르가 한발 물러서며 그녀를 쳐다봤다. 하지만 소피아의 시선은 오른쪽 벽면을 꽉 채우고 있는 와인 진열대로 쏠렸다. 그녀는 진열대 가장 높은 곳에 있는 로얄 드마리아 병을 잡더니 익숙하게 병을 땄다. 그리고 와인 잔에 가득 부었다.

미안해 여보. 정말 미안해.

빅토르가 소피아의 목에 키스했다. 그리고 손끝으로 그녀의 앞머리를 살며시 쓸어 넘겼다. 하지만 그녀는 그에 대한 어떤 반응도 없이 와인을 맥주 마시듯이 꿀꺽꿀꺽 삼켰다. 그리고 빈 잔을 탁하고 탁자에 놓았다. 그녀는 다시 잔을 가득 채웠다. 그녀의 뺨이 씰룩였다.

소피아. 이제 그만해. 제발.

빅토르가 그녀의 허리에 손바닥을 얹었다. 그리고 술잔을 뺏으려고 했다. 하지만 그녀는 격렬하게 저항했다. 와인 잔이 그녀의 손에서 튕겨 나와 사방에 피를 토하며 바닥에 부딪혀 산산조각이 났다.

내게 손대지 마! 이 더러운 개자식아!

눈물이 그렁그렁한 눈. 소피아는 이제 와인 병을 통째로 들고 마시기 시작했다. 그녀의 목이 일정한 간격으로 꿀떡꿀떡했다. 비가 바람을 안고 격렬하게 쏟아졌다. 입에서 삐져나온 한줄기 와인이 그녀의 목을 타고 피처럼 흘렀다. 피는 그녀의 반투명 실크 잠옷을 적시고 가슴을 물들이고 다리를 쓰다듬으며 마침내 바닥에 고여 똬리를 틀었다. 그동안 빅토르는 아무것도 할 수 없었다. 빈 곳. 텅 빈 가슴. 그곳으로 그에게 익숙한 고통이 채워졌다.

****

빅토르가 고등학교 2학년이던 어느 날 그는 옥스퍼드 대학에서 초청장을 받았다. 학교가 들썩거렸다. 개교 이래 이런 경사는 처음이었다. 유럽 변방의 자그마한 도시이기에 소문은 삽시간에 퍼졌다. 그는 이제 시시포스에서 누구나 다 아는 인물이 되었다. 하지만 그는 불안하고 슬펐다. 그의 마지막 학기였다. 어쩌면 이리나를 두 번 다시 볼 수 없을지도 모른다고 생각했다. 그는 조급했다. 그는 생에 처음으로 연애편지를 썼다.

그 편지의 내용을 아는 이는 그의 동생 세르게이뿐이다. 왜냐면 그가 직접 이리나에게 편지를 전달했기 때문이다. 이후 세르게이는 형의 심부름을 몇 번 더 해야만 했다. 그리고 마침내 이리나는 그의 사랑을 받아들였다. 사실 그녀는 빅토르를 오래전부터 좋아하고 있었다. 그녀는 항상 그의 시선이 자신을 향하고 있다는 사실이 고마웠다. 그리고 언젠가 그의 여인이 될 것이라는 막연한 운명을 받아들이고 있었다. 하지만 그들 앞에 놓인 시간은 겨우 한 달이었다.

짧은 시간은 그들을 더욱 뜨겁게 만들었다. 빅토르는 처음으로 형 니콜라이 사무실로 찾아가 돈을 빌렸다. 금반지와 꽃다발을 샀다. 그리고 둘째 형 올리거에게 부탁하여 근사한 레스토랑과 호텔을 한 달 예약했다. 그가 영국으로 가기 전, 한 달은 그의 생에 가장 행복한 날이었다.

* * * * * * * * * * * * * *

빅토르는 무겁고 지친 걸음으로 실험실로 향했다. 머릿속에서 수많은 의식이 회오리치다 이내, 통증으로 뜨겁게 타오르기 시작했다. 고통은 혈관을 타고 몸 전체로 내려가면서 세포를 쥐어짜고 있었다. 그는 자조 섞인 신음을 냈다. 소피아는 그에게 늪이고 끝을 알 수 없는 심연이었다. 하지만 여전히 그녀를 사랑했다. 그런데도 그녀에게 곧 버림받게 되리라는 것도 직감하였다. 이리나처럼.

실험실 책상에는 신입연구원 이력서가 놓여 있었다. 세 명의 각기 다른 후보자들의 신상이 관련 연구 논문과 함께 인쇄되어 곱게 펼쳐져 있었다. 하지만 빅토르는 관심이 없었다. 그는 수개월째 실패로 이어지고 있는 자신의 실험과 소피아 문제만 해도 머리가 빠개질 지경이었다. 그는 자신의 모니터에 달린 세 개의 카메라에 얼굴과 두 손바닥을 갖다 대어 인증 절차를 수행했다. 곧이어 일곱 개의 모니터에는 수많은 데이터가 각자의 양식으로 펼쳐졌다. 그는 빠르게 모니터를 훑어가며 전날 실험의 오차에 관한 교정 작업을 시작했다. 익숙함과 편안함이 묘하게 그를 위로했다.

그래, 수학만이 나를 위로해주지. 이 세상 그 누구도 나를 이해하지

못해. 오직 숫자만이 나를 알아보지.

그는 점점 숫자에 빠져들기 시작했다. 그의 눈은 계산과 수식을 읽고 있는 동안 반짝이며 차분하고 집중력 있게 움직였다. 그의 얼굴은 숫자들에 대한 깊은 애정과 이해를 보여주었다. 마치 무한한 우주 속에서 은하들을 탐험하는 이들처럼, 그의 사고는 끊임없이 추상적인 개념과 논리적인 규칙들 사이를 여행했다. 논리적인 접근과 분석적인 사고가 그의 특기였고, 수학의 신비한 세계에 푹 빠져 있을 때면 세상의 모든 문제가 해결될 것만 같은 기분을 느꼈다. 고통이 사라지기 시작했다.

숫자와 수식은 그에게 익숙하고 친숙한 언어였지만, 현실에서 맞닥뜨리는 인간의 감정과 상호작용은 그의 영역을 벗어난 것이었다. 그는 수학과 숫자에 빠져 있는 동안 흔히 다른 사람들이 느끼는 현실의 제약과는 다른 세계에 존재하는 듯한 느낌을 받았다. 그리고 그 세계 속에서 그는 숫자와 수식을 통해 자유롭게 날아다니며, 마음속에 있는 무한한 아이디어들을 형상화할 수 있었다. 그는 비로소 페가수스가 되었다.

하지만 그의 날갯짓은 연구소장 블라디미르의 등장으로 곧 사라졌다.

안녕하세요? 흘라디 박사님. 이번 신입연구원 누가 마음에 들어요?

아, 네, 그게, 저, 그러니까….

빅토르는 이제 막 꿈에서 깨어난 아이처럼 제대로 답을 할 수가 없었다.

이력서를 보지 않았군요?

블라디미르는 빅토르의 표정을 정확히 해석하고 있었다. 그도 그럴 것이 그들은 이 연구소 창립 멤버로 지금까지 동고동락하고 있었다.

네, 아직….

두 시간 뒤에 면접이 잡혀 있는 것은 알고 계시죠?

연구소장은 손목시계를 쳐다보며 물었다.

네, 알고 있습니다. 소장님.

빅토르는 모니터 한쪽 귀퉁이에 표시되어있는 디지털시계를 확인하며 답했다.

이번에 아주 흥미로운 친구가 지원했어요. 아마 흘라디 박사님도 좋아하실 겁니다.

아, 그런가요?

네, 확신합니다. 이력서 한 번 보세요. 우리 박사님만큼 화려합니다. 수학 관련 상이란 상은 모조리 싹쓸이 한 친굽니다.

연구소장은 흡족한 미소를 지으며 빅토르의 어깨를 토닥거렸다. 그리고 실험실 문을 나섰다. 그러다 문득 생각이 났는지 돌아서며 말했다.

아, 그 친구 출생지가 우리 박사님과 같더군요.

그럼, 시시포스?

네, 맞아요. 시시포스. 아무튼 축복받은 도시라니까. 코딱지만 한 시에서 이렇게 천재가 줄줄이 나오다니….

연구소장은 혀를 끌끌 차며 실험실을 나갔다. 빅토르는 황급히 이력서를 찾아 훑어보기 시작했다.

이름 : 나타샤 필라토바

나이 : 17세

성별 : 여자

출생지 : 시시포스

오데사 중앙 고등학교 졸업.

케임브리지 대학교 수학 학사.

ETH 취리히 인공지능학과 석, 박사….

****

빅토르는 옥스퍼드에서 무척 단순하면서도 바쁘게 살았다. 강의실과 도서관을 오가며 틈나는 대로 아르바이트를 하여 돈을 모았다. 사실 그의 학비는 첫째 형 니콜라이가 매달 보내는 돈으로 충분하였다. 그가 따로 모으는 돈은 순전히 이리나와 함께 하기 위함이었다. 방학 때 그들은 영국 전역을 돌아다닐 생각이었다. 일종의 신혼여행인 셈이다. 하지만 그들의 계획은 이리나 아버지가 운영하는 정육점이 어려움을 겪으면서 틀어졌다.

동네에 대형 할인점이 생겼다. 지하, 지상 5층, 옥외 주차장을 제외한, 4층까지 매장으로 가득 채운 할인점은 그야말로 제품의 천국이었다. 정육 할인 코너에는 유럽 전역에서 생산한 값싸고 품질 좋은 육가공품이 신선한 냉장고 바람 속에 고객을 유혹했다. 그 여파로, 성당 앞 광장을 중심으로 사방으로 줄지어 늘어섰던 작은 가게들이 하나둘씩 문을 닫기 시작했다. 이리나 아버지는 사채를 끌어들였다. 그리고 이자는 눈덩이처럼 불어났다. 정육점 직원이 모두 떠났다. 그

자리를 이리나가 메웠다. 자연히 빅토르와의 만남이 소원해질 수밖에 없었다. 그렇게 일 년이 흘렀다.

그러던 어느 날 빅토르는 이리나에게서 결별 편지를 받았다. 그녀를 마지막으로 본 지 2개월 후였다. 빅토르는 만사를 제쳐두고 시시포스로 향했다. 절망과 분노가 그를 휘어잡았다.

****

그런데 왜 그레고리야? 왜 하필이면 형을 택한 거냐고? 너도 알고 있잖아! 우리 형이 어떤 인간인지. 시시포스에서 형이 집적거리지 않은 여자가 있으면 나와보라고 해! 왜 하필이면 그런 인간을 사랑하는 거냐고?

당신 말이 맞아요. 빅토르. 그레고리는 천하의 바람둥이죠. 하지만….

하지만?

내 아버지를 살린 사람이잖아요.

그깟 돈! 내가 갚는다고 했잖아! 조금만 참으면 내가 다 갚는다고 했잖아!

당신이 갚을 수 있을 만큼의 적은 돈이 아니에요! 빅토르.

설령 그렇다고 하더라도. 내가 형 니콜라이에게 찾아가서 사정할 수도 있었단 말이야!

바보같이. 당신도 알잖아요. 니콜라이는 우리가 사귀는 것을 싫어해요. 불쌍한 빅토르. 당신은 당신이 얼마나 가치 있는 줄을 모르고 있어요. 당신은 시시포스가 선사한 축복이에요. 우리 모두 알고 있어요. 당신만 모르는 거예요. 저는 그냥 하찮은 정육점 집 딸일 뿐이에요. 언젠가 당신의 발목을 붙잡을 거예요.

멍청한 소리. 내가 사랑하는 여자는 오직 너뿐인 거야. 앞으로도 그럴 거고.

하지만 당신은 내가 임신한 사실을 받아들이기를 망설였잖아요.

그건, 젠장. 이리나. 내가 아직 학생이고 여전히 니콜라이에게 손을 벌리는 신세잖아. 내가 자립하게 되면, 그때가 되면, 우리는 얼마든지 아기를 낳을 수 있잖아.

불쌍한 빅토르! 나는 단지 그날, 당신에게 임신한 사실을 말했을 때 그때의 당신 표정을 본 거예요. 빅토르, 무슨 말인지 모르겠어요? 당신의 그 어두운 표정을 본 거란 말이에요. 당신은 너무 순진해요. 당신 얼굴은 숨김없이 당신을 나타내요. 알겠어요? 당신은 혼란스러워했어요. 우리의 첫 번째 아기란 말이에요!

그래서 그레고리를 찾아간 거야? 그 바보 같은 바람둥이에게 간 거냐고? 응? 말해봐! 그래서 그가 네 아버지 빚을 탕감해준다는 조건으로 당신을 호텔로 불러내 당신을 짓밟도록 놔둔 거야? 그런 거야?

당신은 정말 아무것도 모르는군요! 그는 그날 내게 손조차 잡지 않았어요! 당신 형은 내가 누군가의 아이를 배고 있다는 것을 발견하고는 재정적으로 도와주려고 했어요. 무슨 말인지 모르겠어요? 제가 매달렸어요. 제가 같이 살자고 했어요. 무슨 말인지 알겠어요? 세상 사람들이 다 손가락질해도 나는 그레고리의 선한 마음을 그날 본 거예요.

****

면접장은 연구소장실 옆 회의실이었다. 세 명의 후보자가 정장 차림으로 대기실에서 서성거렸다. 빅토르는 그들을 한 번씩 훑어보고는 회의실로 들어갔다. 연구소장과 부소장은 이미 중간 자리에 앉아 있었다. 빅토르는 연구소장 옆에 앉아 이력서를 펼쳤다. 곧이어 안내원이 후보자 한 명을 호출하였다. 왜소한 체격의 어린 소녀가 살포시 들어와 맞은편 의자에 앉았다.

연구소장이 먼저 입을 열었다.

이름은?

나타샤 필라토바입니다.

그녀는 엷은 미소를 지으며 대답했다.

이곳 섬까지 오신다고 수고했습니다. 뱃멀미는 하지 않았나요?

네 하지 않았습니다. 제 조상이 어부인지라 유전적으로 멀미에는 강합니다. 아무튼 덕분에 흑해의 눈부신 아름다움을 실컷 감상했습니다. 감사합니다.

연구소장이 흡족한 미소를 지었다. 하지만 옆에 앉은 빅토르는 초조한 기색이 역력했다.

혹시 여기가 무엇을 연구하는 곳인지는 알고 있나요?

네, 오기 전 인터넷을 좀 뒤졌습니다.

좋습니다. 공개된 자료 외에 이곳 연구소에 대하여 간략하게 말씀드리자면 우선, 흑해 연안 기업이 공동 출자한 군사학 연구소입니다. 그렇다고 무기를 직접 만들거나 연구하는 것은 아닙니다. 그 기반이 되는 기초 학문을 탐구하는 것이라고 보는 것이 타당합니다.

네, 잘 알겠습니다.

예를 들면 이런 것입니다. ICBM. 즉 대륙간 탄도 미사일 (ICBM)을 개발한다면 우리는 미사일의 운동, 비행경로, 궤도 추적, 힘의 역학적 요소, 엔진 추진제와 제어 시스템, 회로 설계, 연소화학 반응, 컴퓨터 시뮬레이션을 구현하기 위한 물리학, 역학, 수학, 전기공학, 물리화학, 컴퓨터 과학과 소프트웨어 개발에 관한 지식이 필요합니다.

와! 무척 많은 분야의 지식이 필요하군요.

그렇죠. 그래서 각 분야의 전문가들이 여기 모여 있는 겁니다. 나타샤 씨는 인공지능에 대하여 무척 관심이 많은 것으로 알고 있습니다만….

네, 맞습니다. 어릴 때는 벡터, 행렬, 선형 변환 등 선형 대수학과 미적분학, 확률 및 통계에 관심이 많았습니다. 그리고 케임브리지에서는 정보 이론과 최적화 이론, 그래프 이론들을 배웠습니다. 취리히에서는 선형 회귀 및 분류 모델에 관한 기초적인 수학 개념과 알고리즘을 연구하였고요, 최근에는 딥러닝 알고리즘에 대한 이해와 자료 구조를 연구하면서….

혹시 아버지 이름이?

드디어 조급함을 참지 못하고 빅토르가 그녀에게 물었다.

네? 아 아버지는 일리아 필라토바입니다.

나타샤는 느닷없는 질문에 살짝 당황하였다.

연구원을 뽑는데 아버지 이름을 왜 물어보지?

혹시….

빅토르는 말끝을 흐리며 망설이듯 질문을 이어갔다.

혹시, 이런 질문을 하기가 좀 그렇긴 하지만, 혹시 생부인가요?

…생부가 아닙니다. 저의 생부는 꽤 오래전에 실종되셨습니다.

혹시, 그분의 성함은?

그레고리입니다. 그레고리 흘라디입니다. 그런데 혹시 저를 아시는 건가요?

나타샤는 미소를 풀지 않은 채 빅토르를 쳐다봤다. 나타샤의 눈이 무척 반짝였다.

남킹 스토리

브런치 스토리

남킹 컬렉션 #029

시시포스 3

3부

니콜라이 흘라디는 꿈에서 돌아왔다. 누군가 그를 흔들었다.

두목. 움직일 시간입니다.

그를 깨운 이는 감방 동료 알렉산드로였다. 니콜라이는 아쉬운 듯 천천히 상체를 일으켜 세웠다. 꿈은 지극히 평범했다. 시시포스 시내의 한가로운 오후 풍경이었다. 그의 앞에, 완곡한 곡선의 산책로를 따라, 미모사 가로수가 줄지어 늘어섰다. 부드러운 바람에 촘촘하게 잎이 박힌 나뭇가지들은 이리저리 춤을 추었다. 황금빛 꽃들은 햇빛을 받아 빛나며 나른한 공간을 화사하게 만들었다. 그 속으로 니콜라이는 천천히 걸었다. 아내 안나가 어느새 다가와 그의 손을 잡았다. 그녀는 쉴 새 없이 자신의 불만을 떠벌렸다.

당신은 늘 앞만 보고 홀로 걷기만 하는군요. 이렇게 한 번씩 제 손을 잡으면 어디가 덧나는가요? 가끔 뒤도 한 번 둘러보세요. 저기 저 우리 아들 안드레이가 멋진 젊은이가 되어 뛰어오고 있잖아요. 우리 딸, 마리아는 어떻고요? 이제 어엿한 숙녀가 되었잖아요. 저기 저 보이나요? 깔깔거리며 웃고 있는 당신 딸 말이에요.

니콜라이는 어느새 호숫가에 이르렀다. 호수의 절반은 연꽃이 점령했다. 사람들이 주변을 한가로이 맴돌았다. 어떤 이는 책을 읽으며 그림 같은 풍경에 빠져들었고, 어떤 이는 애인과 함께 손을 맞잡고 서로에게 미소를 보냈다. 작은 아이들은 호숫가에서 놀며 순수한 미소를 보냈다. 그 오후는 마치 시적인 향연이 펼쳐지는 것처럼 아름답다고 니콜라이는 생각했다. 하지만 그는 실제로 이런 경험을 한 적이 거의 없었다.

니콜라이는 알렉산드로가 건넨 거친 붕대를 몸에 칭칭 감았다. 그리고 그 위에 죄수복을 걸쳤다. 그는 침대 밑에 숨겨 두었던 플라스틱 송곳과 손전등을 꺼내 주머니에 넣었다. 그 송곳은 칫솔 막대를 갈아 만든 거였다.

몇 시지?

오 분 전 4시입니다.

알렉산드로가 숨겨 둔 휴대폰을 조심스레 꺼내 들여다보며 대답했다. 니콜라이는 길게 한숨을 쉬고 문으로 다가갔다. 적막한 새벽의 숨 막히는 안개가 물체들을 희미하게 비추었다. 니콜라이는 그 어둠 속에 깊이 파고들어, 얼어붙은 심장의 박동 소리를 몸으로 느꼈다. 그는 눈을 번뜩이며 창살 밖 복도를 살폈다. 이곳에서 살아남기 위한 절박함이 그의 눈동자에 가득 담겼다.

젠장, 나는 그저 평범한 오후에 머무르고 싶었단 말이야. 더럽게 꼬여버린 내 인생.

잠시 후 발소리가 들렸다. 또박또박 선명하면서도 규칙적인 소리. 이윽고 그 소리는 니콜라이 방 앞에서 멈췄다. 그리고 딸깍거리는 자물쇠 소리. 끼익하는 소리와 함께 속삭임이 들려왔다.

나오시오.

니콜라이는 발소리를 죽여가며 교도관의 뒤를 따라갔다. 희미한 빛이 일정한 간격으로 그들을 흐릿하게 비췄다. 협소한 통로가 이어지고 무거운 철문들이 여러 번 열리고 닫히는 소리가 공간에 울려 퍼졌다. 니콜라이의 걸음은 점점 무거워져 갔지만, 그의 의지는 결연해졌다.

이윽고 그들은 독방이 길게 늘어선 통로에 도착했다. 그는 주머니에 있는 송곳을 다시 한번 확인했다. 그의 마음은 비틀림과 분노로 가득 찼다. 얼음 같은 눈빛은 그의 복수심을 그림자처럼 품고 있었다. 교도관이 열쇠로 철창을 따라 손을 뻗어 독방을 열었다. 문이 열리는 순간, 니콜라이는 어둠 속에 널브러진 검은 그림자를 보았다. 니콜라이는 손전등을 켜고 천천히 다가가 그의 얼굴을 확인했다. 올렉시아. 그의 심복이 확실했다.

그 순간, 철문이 조용히 닫혔다. 그리고 철창 밖에서 목소리가 들렸다.

시간 지키시오. 10분이요.

올렉시아가 어둠 속에 천천히 눈을 떴다. 그리고 니콜라이를 올려다 봤다. 그는 미동도 하지 않았다. 이미 그는 모든 것을 체념한 듯한 표정이었다. 어쩌면 그는 이곳으로 끌려 올 때부터 예견하였을 것이다. 결코 살아서 나갈 수 없다는 것을.

니콜라이는 그런 그를 보는 순간, 분노와 의문으로 가슴이 저렸다. 그가 신뢰하던 사람. 그가 믿었던 몇 안 되는 유일한 친구. 모든 것을 공유하던 관계. 결코 이런 침묵과 혼돈의 냉기 속에 마주칠 인물이 아니었다.

왜 그랬어?

니콜라이는 송곳을 꺼내 손에 꽉 쥐었다. 그리고 다시 물었다.

누가 그랬어? 누가 나를 이곳으로 보낸 거야?

보스입니다.

그럴 리가? 레오가 왜 나를?

시시포스.

시시포스?

네. 보스는 시시포스에 마약을….

그건 이미 끝난 이야기야! 너도 알잖아! 펜타닐이 무엇을 의미하는 지! 좀비 도시를 만들고 싶은 거야? 응? 너도 똑똑히 두 눈으로 봤 잖아! 이웃 도시들이 다 어떻게 변했는지. 스티그마, 아케론, 코클린, 프레기스, 루테 이 아름다운 흑해 도시들이 부랑아가 넘쳐 나고 약 탈과 살인이 난무하는 지옥이 되었다는 것을….

하지만 니콜라이. 불쌍한 니콜라이. 당신도 느끼고 있잖아요. 이미 골든 타임은 지났다는 것을. 다른 마피아들이 벌써 시시포스에 대량 으로 펜타닐을 팔아 재끼고 있어요. 중과부적(衆寡不敵)이에요. 우리 만 고고한 척할 수는 없어요. 시간문제라고요. 당신이 고집을 피우는 한, 시시포스는 곧 적들의 손아귀에 들어갈 거에요.

이러지 마! 올렉시아. 시시포스는 작은 도시야. 내 형제들만 뭉쳐도 충분히 막을 수 있어. 그 쓰레기들을 모두 청소할 수 있다고!

이미 끝난 일이에요. 니콜라이. 5대 마피아 간에 협정이 맺어졌어요. 당신은 정말 아무것도 모르는군요. 누가 당신을 이곳으로 보냈는지 당신은 감도 잡지 못하는군요.

그래! 누구야? 누가 나를 이곳으로 보낸 거야?

올리거.

올리거? 내 동생 올리거? 이 새끼가 죽으려고 환장을 했나!

니콜라이는 더 이상 참지 못하고 올렉시아의 멱살을 움켜쥐고 송곳을 그의 목에 들이댔다. 한 줄기 피가 그의 껄떡이는 목을 타고 바닥으로 흘러 내렸다.

다시 한번 말해봐! 누가 그랬다고?

당신을 배신하지 않으면 당신 형제 모두가 타겟이 된다고요. 알겠어요? 제발 현실을 직시하세요, 니콜라이. 올리거는 당신을 살리고 동생들을 위험에 빠트리지 않기 위해 당신을 제거한 거라고요.

니콜라이는 그 순간 힘이 쭉 빠져, 쥐고 있던 송곳을 놓치고 말았다. 그를 괴롭혔던 모든 혼란이 삽시간에 분명하게 다가왔다. 그는 뒤로 물러나 벽을 등지고 털썩 주저앉았다. 빈 곳. 텅 빈 곳으로 고통이 채워졌다.

나는 그저 평범한 오후에 머물고 싶었어.

그때 철문이 조용히 열렸다. 교도관이 낮은 소리로 니콜라이를 불렀다.

시간 되었어요. 갑시다.

니콜라이는 억지로 몸을 일으켰다. 그는 모든 의지가 다 빠져나간 너덜너덜한 육신으로 어기적어기적 교도관을 따라갔다.

희미한 빛이 일정한 간격으로 다시 그들을 흐릿하게 비췄다. 더욱 협소한 통로가 이어지고 더 무거운 철문들이 여러 번 열리고 닫히는 소리가 공간에 울려 퍼졌다. 니콜라이의 걸음은 이제 한 발짝 내딜는 것조차 위태로워 보였지만 그의 결심은 더욱 굳어졌다. 그는 앞서가는 교도관을 불러 세웠다.

교도소장과 면담을 하고 싶소.

****

교도소장 미하일로가 니콜라이를 반갑게 맞았다.

그래, 요즘 생활은 어떻습니까? 지낼 만합니까?

신경 써 준 덕분에 잘 지내고 있습니다. 감사합니다.

미하일로에게 니콜라이는 최고의 고객이었다. 니콜라이가 수감 된 이후, 그의 차 트렁크에는 철마다 맛있는 시시포스 산 과일 상자가 실리곤 하였다. 물론 그 상자의 바닥은 현금으로 채워져 있었다.

얼굴이 좀 수척해 보입니다. 뭐 불편한 거라도 있으신가요? 말만 하세요. 성심성의껏 편의를 봐 드리겠습니다.

교도소장은 마치 물건 사러 온 고객을 대하는 장사치처럼 말을 했다.

불편한 거는 없습니다. 다만 한 가지 물어볼 게 있습니다.

네, 말씀하시죠.

예전에 장기 수감자를 대상으로 한 용병 모집을 들었습니다. 아직도 유효한가요?

용병에 지원하시려고요?

네.

그건 안될 말입니다. 저 미꾸라지 같은 정치인들이 야합해서 만든 졸속 행정입니다. 그래, 우리나라가 유럽에서 가장 못 사는 거는 인정합니다. 교도소가 턱없이 부족한 것도 네, 맞습니다. 하지만 그렇다고 재소자들은 우리 국민이 아닙니까? 장기수들이 여기서 밥을 먹으면 얼마를 먹는다고 그 돈 아끼려고 젊은이들을 사지로 몰아넣습니까? 지금까지 용병으로 끌려가서 살아 돌아온 사람이 아무도 없어요. 거긴 한 마디로 지옥입니다.

그래서 가겠다는 겁니다.

네?

교도소장은 어안이 벙벙한 얼굴로 니콜라이를 쳐다봤다.

어차피 저는 버려진 카드입니다. 이래도 죽고 저래도 죽을 운명. 그냥 전쟁터에서 죽겠습니다.

하지만….

교도소장은 안타까운 표정으로 무슨 말을 해야 할지 몰라 말을 흐렸다. 그의 MVP 고객이 단순 변심으로 떠나겠다고 하는 상황이 못내 못마땅하기만 했다.

****

삐 하는 경고음과 함께 니콜라이는 눈을 떴다. 붉은 점멸등이 요란하게 움직였다. 긴장을 다그치는 공기가 그를 에워쌌다. 거친 비행 소리가 수송기의 내부를 꽉 채웠다. 그의 호흡은 거칠어지고 얼굴에는 두려움이 새겨졌다. 니콜라이는 맞은 편 동료를 쳐다봤다. 그의 얼굴에도 긴장한 표정이 역력했다. 그와 떨어진 공간은 야전에서 흘릴 피의 풍경을 반추하듯 붉디붉었다.

비행기는 어둠 속으로 계속해서 나아갔다. 곧 낙하 신호가 떨어졌다. 낙하 대원들은 안전띠를 풀고 조심스레 문 쪽으로 걸어가 일렬로 줄을 섰다. 문 주변에 배치된 장비들이 작동했다. 그 소리는 니콜라이의 귀에 미묘한 고음과 진동을 전달했다. 니콜라이는 손에 있는 장갑을 끼고, 문의 조작 장치에 손을 올려 문을 여는 순간을 기다렸다. 간헐적인 소리와 함께 비행기 문이 천천히 열렸다.

세찬 바람이 비행기 내부로 들이닥치며 그의 얼굴을 강타했다. 그는 버티기 위해 지지대를 있는 힘껏 꽉 잡았다. 그리고 한 발짝 한 발짝 앞으로 나아갔다. 마침내 그는 문으로 내려다보이는 검은 세상과 마주했다. 그 속으로 그는 주저 없이 뛰어내렸다.

어두운 공기가 그를 격하게 포옹하였다. 그는 자유낙하의 경이로움 속에 숨을 규칙적으로 쉬려고 노력했다. 그리고 낙하산을 펼쳤다. 별빛이 그를 따라다녔다. 그는 아름답다고 생각했다. 그의 심장은 들뜸으로 뛰어올랐다. 하늘을 나는 동안, 니콜라이는 뒤죽박죽 뒤섞인 과거의 기억을 떠올렸다.

****

어머니가 떠나자 아버지 자이밀의 폭력은 니콜라이에게 향했다. 그는 묵묵히 참았다. 왜냐하면 그가 반항하거나 거부한다면 아버지의 구타는 동생에게로 틀림없이 향할 것을 알았기 때문이었다. 집안에 빈 술병이 쌓일수록 자이밀의 폭력은 커져만 갔다. 아버지의 요구는 단 하나, 술이었다. 니콜라이와 올리거는 거리로 내몰렸다. 그들은 매일 아버지의 술값을 벌어야만 했다. 니콜라이가 학업을 포기하고 동네 외곽에 있는 양조장에 말단 사원이 된 것은 그런 연유였다.

그 양조장은 시시포스에서 생산하는 옥수수와 보리를 발효하여 전통적인 방식으로 위스키를 제조하였다. 니콜라이는 나이가 어렸으므로,

제조 과정의 특정 부분을 맡지 않고 그때그때 필요한 곳에 투입되어 작업을 거들었다. 덕분에 그는 발효, 증류, 숙성, 운반까지, 위스키 제조 과정의 모든 부분을 두루두루 배울 수 있었다.

양조장의 일과는 대부분 오후 2, 3시경쯤 되면 끝이 났다. 왜냐하면 그다지 술 주문이 많지 않았다. 별로 나쁘지 않은 품질의 위스키였지만 상표 명은 거의 알려지지 않았다. 심지어 시시포스 주민조차 모르는 사람이 태반이었다. 그러므로 이 위스키는 시의 일부 음식점과 술집에만 싼값으로 제공되었다. 양조장 창고에는 재고 술이 항상 넘쳤다.

관리도 엉망이었다. 직원들은 일이 끝나면 다들 배낭에 위스키 한두 병쯤 넣어서 퇴근하였다. 엄연한 불법이지만 일종의 관행이 되어 버렸다. 술을 좋아하는 이들은 집에서 마시겠지만 그렇지 않은 자들은 동네 가게에서 식료품으로 바꾸거나 팔기도 하였다. 니콜라이도 열심히 술을 챙겼다. 당연하게도 그가 가져간 술은 모두 아버지의 목구멍으로 흘러 들어갔다.

양조장 사장은 그미로바로 알려진, 마피아 보스의 막내아들 이고르이다. 이 조직은 주로 러시아의 노보로시스크와 노벨리스크를 중심으로 활동했으며, 마약 밀매, 불법 도박, 협박, 강도 등 다양한 범죄 활동으로 악명을 떨쳤다. 이후 그들은 호텔, 카지노, 주류 산업 등에 진출하면서 비교적 합법적인 사업으로 크게 성공하였다. 하지만 이고르는 형들과 달리 사업에 그다지 재능이 없었다. 대부분 사업을 말아 먹고 이제 이 양조장 하나만 남은 상태였다. 하지만 이것도 부실 경영으로 곧 무너지기 직전이었다.

게다가 엎친 데 덮친 격으로 직원들이 빼돌린 술이 세무서 감사에 적발되었다. 즉, 주류세 횡령 혐의가 씌워진 것이다. 그런데 이 사건을 취재하던 지역 신문 기자는 더 놀라운 사실을 발견했다. 직원들이 퇴근 때 한두 병 정도 훔친 게 아니라, 일부 선임 직원들이 조직적으로 팔레트 단위로 수만 병을 훔친 증거를 발견한 것이다. 대대적인 수사가 진행되고 대부분의 양조장 직원이 사건에 연루되어 끌려갔다. 이제 회사에 남은 이는 일부 신입사원뿐이었다. 그중에 모든 양조 기술을 알고 있는 이는 니콜라이가 유일했다.

하루아침에 그는 양조 회사 매니저가 되었다. 그에게 행운이 찾아온 것이다. 하지만 그는 영리하고 대범하였다. 그는 야망이 있고 그 행운을 이용할 줄 알았다. 그는 곧바로 사장을 만났다. 그리고 그의 매니저 수락 조건을 요청했다.

먼저, 제 아버지를 알코올 중독 재활센터로 보내 주십시오. 그리고 그곳에서 평생 머물게 해 주십시오.

그렇게 하지.

술 판매에 관한 모든 마케팅 권한을 제게 주십시오.

물론이지.

그리고 회사 수익의 10%를 제게 주십시오.

그것도 그렇게 하지.

제 동생 올리거를 이곳에서 함께 일하게 해 주십시오.

좋아.

이상입니다. 사장님. 감사합니다.

나의 조건도 들어 주겠나?

네. 말씀하십시오.

양조장의 술이 단 한 병도 빠져나가지 못하게 해주게.

약속드립니다. 철저하게 재고 관리하겠습니다.

그날 이후, 니콜라이는 이고르에게 매일 재고 현황, 생산 현황, 판매 현황을 보고 하였다.

니콜라이는 저장고부터 조사하기 시작했다. 그동안 안 팔린 술이 오크 통에서 수십 년째 방치되고 있었다. 그는 제조 연도 별로 재고 술을 정리했다. 그는 술의 가격을 결정하는 것은 숙성 기간이라는 것을 알고 있었다. 그동안 엉망으로 재고 관리를 한 덕분에 30년 이상의 숙성 제품이 제법 남아 있었다. 그는 전문 디자이너에게 청탁하여 술병 모양과 라벨 디자인을 고급스럽게 바꾸었다. 동네 술집과 식당에 싼값으로 납품하던 것도 모두 끊어 버렸다. 그리고 온라인 판매를 시작했다. 희귀 술 컬렉터가 타겟이었다. 커뮤니티를 조성했다.

극소수의 일부 억만장자들에게만 비밀리에 유통하던 최고급 위스키 30년, 40년, 50년산 제품.

컬렉터들이 관심을 보이기 시작했다. 그는 정품인정서를 만들고, 이고르의 형들이 운영하는 고급 호텔과 카지노에 판매했다는 서류를 조작했다. 그리고 컬렉터들이 직접 방문해서 실물을 확인하고 구매 의사를 밝히면 특별 할인 한정 판매가 가능하다는 것을 알렸다. 양조장은 최대한 낡은 상태로 그냥 두었다. 누가 봐도 옛날 전통 방식으로 술을 빚는다는 것을 각인 시키도록 만들었다. 그리고 아버지 술꾼 친구 중 나이가 많고 입담이 좋은 사람을 채용했다. 그들은 주류 감별사로 둔갑하여, 찾아온 컬렉터들에게 천상의 맛과 향을 지닌 위스키에 대한 끝없는 찬양을 늘어놓았다.

그의 마케팅 전략은 성공적이었다. 컬렉터들이 성지 순례하듯 양조장을 찾았다. 병당 10달러도 하지 않던 술이 경매에서 최고 10만 달러까지 뛰었다. 위스키 전문 매거진인 〈몰트위스키 이어북〉에도 당당히 이름을 올렸다. 지역 방송국과 신문사가 그를 가만두지 않았다. 연일 인터뷰가 쇄도했다. 그는 하루아침에 시시포스 시에서 가장 유명한 전문 경영인이 되었다. 그의 나이 불과 25살 때였다.

그의 유명세는 곧바로 마피아 보스 그미로바의 시선을 끌었다. 거의 왕따로 취급받던 그의 막내아들을 구원한 청년. 마침 이고르의 장녀 안나는 이제 갓 스물이 된 아름다운 처녀였다. 그들은 니콜라이를 그들만의 궁전으로 끌어들였다. 한창 혈기 왕성한 니콜라이는 안나를 보자마자 단숨에 사랑에 빠졌다. 일사천리로 결혼식이 진행되었다. 성대한 결혼식이었다. 정·재계 유력 인사들이 모두 참석했다. 그때가 니콜라이 생에 최고의 한 해였다.

하지만 니콜라이의 욕망은 끝이 없었다. 그는 더 높은 곳을 바라보기 시작했다. 그는 그때 처음으로 레오를 만났다. 그미로바의 장남. 실질적인 마피아 보스였다. 잔인하기로 둘째가라고 하면 서러울 정도로 악명을 떨쳤던 그는, 일련의 합법적인 사업 성공에 고무되어, 자신의 이미지 세탁에 열을 올리고 있었다. 니콜라이는 그 점을 파고들었다. 그는 흑해 일대의 주류 시장을 합법적으로 독점하기 위한 청사진을 레오에게 제시했다.

니콜라이에게 엄청난 돈이 들어오기 시작했다. 그는 이 자금력을 바탕으로 주변의 양조장을 몽땅 사들였다. 판매를 거부하거나 터무니 없이 비싼 값을 부르는 양조장은 이고르가 직접 나섰다. 마피아의 사주를 받은 세무서 직원이 느닷없이 회사에 들이닥쳐 회계 장부를 압수하거나 위생계 조사 요원이 공장에 부지불식간에 나타나 구석구석을 뒤지고 다녔다. 그런데도 버티는 양조장은 마피아의 공포로 그들을 쫓아냈다.

이즈음 작은 사건 하나가 수면 위로 올라왔다. 예전에 술을 빼돌려 감옥에 갔던 전 직원들이 하나둘씩 풀려나기 시작한 것이다. 그들은 자기 밑에서 일하던 새파랗게 젊은 니콜라이가 어느새 주류 업계의 아이콘이 된 것을 목격하고는 시기와 질투를 느끼지 않을 수 없었다. 그리고 그들이 만든 싸구려 술이 돈을 주고도 살 수 없는 최고의 위스키가 되었다는 사실에 경악했다. 눈치 빠른 이는 이 추악한 진실이 곧 돈이 될 수 있다는 사실에 주목했다. 그들은 신문 기자를 끌어들여 니콜라이를 협박하기 시작했다. 그들의 입막음용 돈을 요구한 것이다.

하지만 그들은 중요한 것 한 가지를 간과하였다. 니콜라이가 마피아 가문의 사위라는 사실을. 게다가 니콜라이의 성장 환경이 어떠하였는지를 그들은 전혀 몰랐다. 니콜라이가 어른이 될 때까지 보고 배운 것은 폭력뿐이었다. 그는 폭력이 얼마나 신속하고 정확하게 자신이 목적하는 바를 이루게 할 수 있다는 사실을 누구보다 잘 알고 있었다. 게다가 그는 한두 푼의 돈으로 밀고자들의 입을 영원히 닫게 할 수 없다는 것도 인지했다.

동네에서 그들이 하나씩 하나씩 사라졌다. 누구도 그들이 어디로 갔는지 몰랐다. 경찰의 탐문수사는 형식적이었다. 그저 동네 몇 바퀴 둘러보고는 수사가 마무리되었다. 실종자 유족들은 니콜라이를 의심했지만 아무도 입을 열거나 신고하지 않았다. 그들에게 니콜라이는 이제 촉망받는 기업인에서 공포를 선사하는 조폭 두목으로 바뀌었다. 그리고 그 화려한 공포를 결정 짓는 사건은 바로 그를 협박하던 신문 기자가 양조장 건너 옥수수밭에서 변사체로 발견된 거였다. 누군가에게 심하게 난도질당한 그의 몸은 밭 곳곳에서 뒹굴었다.

브런치 스토리

남킹 사랑 소설집

남킹 컬렉션 #028

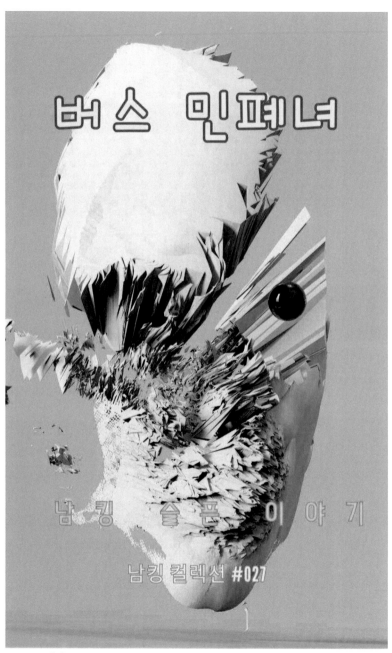

버스 민폐녀

남 킹 슬 픈 이 야 기

남킹 컬렉션 #027

시시포스 4

4부

그레고리 흘라디는 차창 밖을 응시했다. 황금빛 해가 서서히 지고 있었다. 하지만 헤스티아 성은 다가갈수록 점점 밝아졌다. 성벽 위에서는 작은 등불들이 마치 밤하늘의 별처럼 깜박였다. 그 안으로는 굵은 베이스의 테크노 비트가 어지럽게 어우러진 레이저 광선을 흔들고 있었다.

그레고리는 입구에 차를 세웠다. 흰 장갑을 낀 안내원이 잽싸게 다가왔다.

발렛파킹 서비스입니다.

차 문을 열고 발을 내딛자, 그를 반겨줄 음악이 밤하늘에 메아리쳤다. 그는 안내원에게 키와 팁을 건넸다. 그리고 입구에 마련된 접수대에 초청장을 보였다.

감사합니다. 스테판 홀트 님. 아무쪼록 즐거운 시간이 되시길 바랍니다.

성문을 지나 그레고리는 내부로 들어섰다. 홀 양옆에는 불빛에 비친 샴페인 잔과 맥주잔이 가득 차 있었다. 밤하늘을 향해 솟은 촛불 모양의 조명이 모든 통로를 밝혔다. 높은 천장에는 옥색의 장식 천이 부드럽게 펼쳐져 있었다. 그리고 묵직한 크리스털 샹들리에가 아래를 내려다보고 있고 수많은 색상의 조명이 내부를 환상적인 분위기로 물들였다. 음악은 홀 내부를 채우며 미로처럼 얽혀 퍼져나갔다. 눈부신 공연 무대에는 화려한 복장을 한 연주자들이 신시사이저를 연주하며 청중들을 매료시키고 있었다.

파티장은 인산인해였다. 다양한 색상과 디자인으로 치장한 남녀가 즐겁게 춤추고 있었다. 나비넥타이에 정장 차림을 한 그레고리는 오히려 생뚱맞은 느낌을 받았다. 테크노 음악의 매혹적인 리듬에 맞춰 사람들은 마치 중력을 초월한 듯 자유롭게 몸을 흔들었다. 초록색과 빨간색, 파란색의 레이저 광선은 그들의 움직임을 따라 흐르며, 환상적인 빛의 장막을 만들었다.

파티장은 한 폭의 예술 작품이었다. 화려한 드레스를 입은 여인들은 풍성한 황금빛 가운과 보석으로 장식된 마스크로 그레고리의 시선을 사로잡았다. 그리고 그 순간, 그레고리는 잠시나마 이리나를 떠올렸다. 그녀의 투명한 눈빛은 말로 다 표현할 수 없는 아름다움이었다. 마치 풀밭에 피어난 아침 이슬과도 같았다. 그것은 그의 마음을 투명하게 드러내는 창이었다. 그는 속수무책으로 그의 감정을 숨길 수가 없었다.

이리나. 사랑해.

그레고리는 이리나와 손을 맞잡고 춤을 추면서 자유로운 환상 속으로 빠져들고픈 충동을 느꼈다. 하지만 그는 곧바로 냉정을 되찾았다. 그는 이곳에 즐기러 온 것이 아니다. 그는 파티장을 지나 성벽을 따라 뻗은 길로 나갔다. 점점 음악 소리가 줄어들었다. 그리고 그 속으로 자연의 소리가 커졌다. 바람 소리. 새 소리. 발소리. 마침내 요란한 장식을 한 문이 나타났다. 그리고 어둠 속에서 그림자 같은 인물이 그레고리에게 인사를 건넸다.

스테판 홀트 씨, 혹시 무기를 휴대하셨나요?

아뇨.

그럼 잠시 몸수색이 있겠습니다. 죄송합니다.

그는 익숙한 솜씨로 그레고리의 몸 구석구석을 만졌다.

좋습니다. 이리로 오시죠.

그레고리는 그를 따라 문 안으로 들어갔다. 화려한 장식의 넓은 통로 끝에 금장 색의 문이 그들을 맞았다. 잠시 후 문이 자동으로 열렸다. 그레고리는 천장을 힐끗 한번 쳐다봤다. 짙은 색의 반원형 CCTV가 천장 각 모서리에 박혀 있었다. 사무실은 우아함과 화려함에 눈이 부셨다. 소파는 화려한 천에 싸여 있으며, 정교한 자수가 그려진 금색 실로 장식되어 있다.

이리로 앉으시죠.

그레고리는 안내에 따라 소파에 몸을 기댔다. 풍부한 쿠션과 몸을 감싸는 부드러운 감촉이 그를 편안함으로 인도했다. 그는 천천히 고개를 돌려 사방을 관찰했다. 벽은 금박으로 장식되어 있으며, 도금된 나무 장식과 어우러져 고풍스런 역사의 흔적을 품었다. 벽면의 그림은 화려한 색채와 아름다운 조각으로 이루어져 있어, 감탄이 절로 나올 정도였다. 하지만 그의 관심을 끈 것은 유난히 큰 창문과 그것을 부드럽게 숨기고 있는 화려한 커튼이었다. 밝게 빛나는 천은 불꽃놀이를 보는 것과도 같은 기분을 선사했다.

이윽고 반대편 문에서 중년의 신사 2명이 나타났다. 그들은 우아한 미소를 지으며 그레고리에게 다가와 악수를 청했다.

오시느라 수고하셨습니다. 저는 가브리엘입니다. 그리고 옆에는 변호사 보리슬라프입니다.

네 초청해주셔서 감사합니다. 저는 스테판입니다.

저는 에둘러 말하는 것에 그다지 익숙하지 않습니다. 그래서 그냥 직설적으로 말씀드리겠습니다. 실례가 되지 않는다면….

네 저도 그게 편합니다. 말씀하시죠.

우리 사업이라는 게 무척 예민하고 조심스러운 것이라는 것은 잘 아시리라 믿습니다.

네, 알고 있습니다.

항상 살얼음 위를 걷는 거죠. 한 번만 삐끗하면 모든 게 끝장이니까요. 그런데도 제가 지금까지 이렇게 이 사업을 황금알을 낳는 거위로 키울 수 있었던 것은, 첫째도 신중함. 둘째도 신중함. 셋째도 신중함 덕분이었죠.

네.

특히 저희와 첫 거래를 하는 고객이라면 무척 신중할 수밖에 없다는 것을 스테판 씨도 충분히 이해하시리라 믿습니다.

네, 지당한 말씀입니다.

그래서 스테판 씨를 조사했습니다. 전문가를 동원해 아주 깊이 조사를 했습니다.

그래서 저에 대한 파악이 완료되셨나요?

네, 어느 정도는 되었습니다.

가브리엘은 고개를 천천히 끄덕거렸다. 그리고 말을 이어갔다.

흡족할 만큼은 아니지만 말입니다. 하지만 어쩌겠습니까. 저희 사업 아이템이 늘 이런 불확실성과 불안전성, 고위험은 피할 수도, 외면할 수도 없는 선상에서 이루어지는 것이 아니겠습니까? 그러니 그에 대한 보상도 클 수밖에 없는 거고요.

네, 그렇죠.

세상에는 이름난 부자들은 많습니다. 하지만 알려지지 않은 부자가 더 많죠. 우리 고객의 대부분은 바로 알려지지 않은 부자들이죠. 그분들은 뭐든 꼭꼭 감추려고만 하십니다. 하지만 제가 지금까지 경험한 바로는 아무리 감추려고 해도 부자들은 드러나기 마련입니다. 그들이 중국이나 인도의 저 외딴 시골의 졸부가 아닌 이상, 부자들의 이야기는 늘 주변인들의 입방아에 오르내리기 마련입니다. 그런 의미에서 스테판 씨에 대해 저희가 파악한 바는 무척 고무적입니다.

어떤 의미에서 그런가요?

유럽 석유, 철강 산업으로 유명한 가벤스 가문 혈통, 하버드 경제학과, 투자 회사 설립. 막대한 자산 보유, 매년 수백만 달러의 기부….

네, 제대로 조사하셨군요.

그런데 이상하지 않습니까?

이상하다고요?

이런 분이 왜 저와 이런 말도 안 되게 위험하고 불법적인 거래를 하시려고 합니까?

네, 그건….

그레고리는 잠시 숨을 고른 뒤 말을 이어갔다.

가장 중요한 한 가지를 빠트리고 조사하셨습니다.

빠트렸다고요?

네, 투자 회사에 관한…. 제 입으로 말씀드리기가 그러하니 지난달 17일 자 파이낸셜 지에 실린 기사를 참고하시기 바랍니다.

가브리엘이 고개를 끄덕거렸다. 그러자 옆에 앉아 있던 변호사가 휴대폰에서 기사를 검색하여 그에게 보여주었다. 기사를 훑어본 가브리엘은 눈만 그레고리에게 향한 채 물었다.

이 기사가 사실입니까? 폰지 사기 의심 정황.

사실입니다. 저 기사를 본 저희 최대 고객이 투자금을 회수하려고 합니다. 그래서 큰돈이 필요한 거고요.

완벽하군요.

네?

그레고리는 가브리엘이 완벽이라는 용어를 사용한 것에 일종의 불안을 감지했다.

완벽하게 준비하셨군요.

무슨 말씀이신지?

그레고리는 그 순간 푹신한 소파에서 가시 바늘이 솟구치는 불편한 환상을 겪으며 온몸이 뻣뻣하게 굳어지는 것을 느꼈다. 가브리엘이 다시 고개를 끄덕였다. 그러자 변호사가 자리를 털고 나갔다. 뒤이어 검은 슈트에 선글라스를 낀 건장한 남자 4명과 호리호리한 모습의 여자가 들어왔다. 남자들은 그레고리 주변을 둘러쌌다. 그리고 여자는 가브리엘 옆에 섰다. 그레고리는 이제 뭔가가 잘못되었음을 확신했다. 그는 다시 큰 창문을 쳐다보며, 정장 안쪽 주머니에 꽂혀 있는 만년필을 팔꿈치로 살짝 누르며 확인했다.

폰지 사기라? 음, 멋지군요. 그러니까 당신은 번듯하게 투자 회사를 차려서 고수익을 보장한다고 속이고 고객 돈을 흥청망청 쓰다가 꼬리가 밟히자 그 돈을 메꾸기 위해서 무기 브로커인 나에게 접근했다. 그 말인 거죠?

네, 말하자면…. 그렇죠.

멋진 시나리오입니다.

나를 믿지 않는군요.

물론 당신을 믿지 않습니다. 방금 당신 입으로 그랬잖아요. 당신은 사기꾼이라고. 그런데 어떻게 제가 믿겠습니까?

하지만 제가 지금 코너에 몰린 것은 확실합니다. 당장 큰돈이 필요합니다.

당신은 지금 당신 앞에 서 있는 이 여인을 전혀 알아보지 못하는군요?

네?

그레고리는 급히 시선을 그녀에게로 돌렸다. 수수한 하녀 복장에 깡마른 그녀는 시선을 바닥으로 내리깔고 엉거주춤 가브리엘 옆에 서 있었다. 가브리엘은 다정스러운 표정으로 그녀의 손을 잡고 소파에 앉기를 권했다. 그녀는 소파 끝에 살짝 걸터앉았다. 하지만 시선은 여전히 바닥을 향했다.

사업을 하다 보면 신중함으로도 모자랄 때가 있어요. 상대가 작정하고 속이려 든다면 걸려드는 거지. 별수 있겠어요. 게다가 그 상대가 거대한 비밀 조직이라면 말입니다. 무슨 말인지 알겠어요? 그레고리 씨.

그레고리의 머릿속이 스파게티처럼 엉키고 있었다.

그는 어떻게 나의 이름을 알았는가? 저 여자는 도대체 누구인가? 나는 이제 어떻게 이 난국을 헤쳐 나가야 하나?

그레고리는 공들인 그의 첩보 활동이 한순간 무너지는 절망을 느꼈다.

솔비타, 고개를 들어 그레고리 씨를 보세요.

가브리엘의 요청에 그녀는 천천히 고개를 들어 그레고리를 쳐다봤다.

솔비타, 당신 고향이 어디인가요?

시시포스입니다.

그녀는 꺼져가는 목소리로 응답했다.

그곳에서 15년 전 당신은 무슨 일을 했나요?

호텔 객실원이었습니다.

당신은 그레고리 씨를 아는가요?

네, 저희 호텔 단골손님이었습니다. 항상 후하게 팁을 주셨고요.

그럼, 15년 전 그 뜨거웠던 여름에 무슨 일이 있었죠?

네, 그레고리 씨와 동침한 여인이 베란다에서 뛰어 내렸습니다.

그 후 그레고리 씨는 어떻게 되었나요?

잡혀갔습니다.

당신 앞에 있는 사람이 그레고리 씨가 맞나요?

네, 맞습니다.

가브리엘은 빈정거리는 표정으로 그레고리에게 말했다.

알고 보니 시시포스에서 모르는 이가 없더군. 시시포스의 바람둥이. 그런데 시시포스의 감옥은 스파이 교육도 하나? 응? 그레고리 씨.

그 순간 그레고리는 잽싸게 호주머니에서 만년필을 뽑아 가브리엘의 팔을 비틀면서 뒤로 돌아 들어가 그에 목에 만년필을 살짝 찔렀다. 그리고 크게 외쳤다.

가까이 오지 마! 너의 주인이 죽는 것을 보지 않으려면 그 자리에 멈춰! 알겠어! 이 머저리들아!

그레고리를 둘러서 있던 경호원들이 움찔하며 뒤로 물러났다. 솔비타는 황급히 자리를 피해 도망쳤다. 가브리엘의 목에서 한줄기 피가 흘러내렸다.

이 이러지 마시오! 좋게 좋게 말로 합시다!

조금 전의 당당한 모습은 온데간데없이 사라진 가브리엘은 애원하듯 외쳤다.

내가 알고 싶은 거는 너도 알고 있잖아! 가브리엘! 너 목을 베는 거는 순식간이야! 그러니 너가 말해봐! 도대체 어디서 핵탄두를 가져오는 거야? 도대체 누가 그거를 너에게 팔아달라고 요청하는 거야? 어서 사실대로 말해!

그레고리 씨! 당신은 정말 아무것도 모르는군요. 당신이 성장했던 그 시시포스가 어떤 도시인지를 당신은 아무것도 모르는군요.

그게 무슨 소리야? 시시포스라니? 시시포스가 왜?

당신의 그 대단한 첩보 기관에 제발 역사 교육 좀 하라고 하세요! 시시포스는 아무것도 아닌 곳이었어요. 농사도 안되는 그저 버려진 척박한 땅이었어요. 우리나라가 어떤 곳이에요? 비옥하기 그지없는 검은 흙으로 둘러싸인 곳이라고요. 시시포스만 빼고, 말입니다. 그런데 그곳에 별안간 도시가 들어섰어요. 그리고 소련 서기장이 매년 빠짐없이 그곳을 방문했고요. 무슨 뜻인지 알겠어요?

그럼?

맞아요. 당신 형제들이 뛰어놀던 그 땅의 지하에는 수십 개의 비밀 저장고가 있어요. 그리고 지금 그것을 차지하기 위한 세력 간의 전쟁이 시작된 거고요. 당신 형만 아니었으면 당신이 저 문을 열고 들어오는 순간, 목숨이 열 개라도 남아나지 못했을 거예요. 알겠어요?

그럼, 내 형이? 올리거가?

네, 당신 형이 내게 부탁했어요. 목숨만은 살리라고.

그럼, 젠장! 그 무기 판매상이 올리거란 말이야? 이 더러운 새끼야!

불쌍한 그레고리. 당신은 형들이 그저 술만 파는 조직 폭력배 정도로만 생각한 거예요? 그리고 당신 동생 빅토르가 국방 연구소에 근무하는 게 단지 우연이라고만 생각했어요?

그레고리는 그 순간 힘이 쭉 빠져 하마터면 쥐고 있던 만년필을 놓칠 뻔하였다. 지난 일 년간 그가 추적했던 모든 의문이 삽시간에 분명하게 다가왔다. 빈 곳. 텅 빈 곳으로 고통이 채워졌다.

그레고리는 큰 창으로 몸을 날렸다. 그는 우두둑 뜯어진 커튼, 와장창 부서진 유리 조각과 함께 밑으로 떨어졌다. 철퍼덕하며 물속으로 떨어진 그는 하염없이 내려갔다. 그레고리는 사전 시뮬레이션을 통해 이곳이 수족관이라는 것을 알고 있었다. 그는 안쪽 주머니에서 점착 폭탄을 꺼냈다. 그리고 수족관 전면을 차지하는 거대한 유리에 부착했다. 그리고 속으로 카운팅을 하면서 최대한 빨리 수면 위로 떠 올랐다. 참았던 숨을 크게 들이키며 주위를 돌아보니 어느새 가브리엘의 부하들이 바깥에서 그를 지켜 보고 있었다.

생포하라!

명령이 떨어지기 무섭게 부하 몇 명이 물속으로 뛰어들었다. 그 순간, 그레고리 발밑에서 강한 폭발 진동이 올라왔다. 하지만 수족관 유리는 깨지지 않았다. 미세한 금만 났다. 당황한 그레고리는 다시 잠수하기 시작했다. 부하들도 맹렬히 그를 쫓아왔다. 그는 금이 간 유리 벽을 발로 세차게 찼다. 하나, 둘, 셋. 그의 발차기는 가브리엘의 부하들이 그를 잡기 전까지 계속되었다. 그레고리는 그들의 손아귀에서 벗어나기 위해 발버둥 쳤다. 하지만 역부족이었다. 떼거리로 몰려온 그들은 그레고리를 옴짝달싹 못하게 붙잡고 위로 떠올랐다. 그들이 가까스로 수면 위로 얼굴을 드러내고 참았던 숨을 쉬는 동안 수족관이 깨졌다.

그레고리와 가브리엘 부하들은 점점 빠른 속도로 내려가기 시작했다. 거친 거품과 함께 수많은 흑해 물고기가 떠내려가는 물결을 따라 황급히 몸을 버둥거렸지만, 속수무책으로 떠밀려갔다. 그레고리는 정신을 바짝 차리고 사지를 틀어가며 물결의 흐름 속에 자신을 맡겼다. 그는 꼭 살아야겠다고 생각했다. 살아서 시시포스와 그의 형제들에게 다가온 암울한 기운을 꼭 밝혀야겠다고 결심했다.

****

성으로 연결된 좁은 도랑을 통해 탈출에 성공한 그레고리는 본부에 연락하기 위해 휴대폰을 켜려다 멈추었다. 그리고 잠시 머뭇거리다 이내 생각을 고쳐먹고 빠른 걸음으로 주택가 근처 골목으로 갔다. 인적이 드문 곳에 주차된 차량을 발견한 그는 익숙한 솜씨로 차 문을 따고 시동을 걸었다. 그리고 재빨리 도심을 벗어나 고속도로로 접어들었다. 그는 차량 내비게이션을 켜고 오데사 항구를 검색하여 입력했다.

예상 운행 시간 : 4시간 13분. 고속도로는 한가했다. 그는 차량 속도를 최대로 올렸다. 주위의 풍경이 빠른 속도로 변했다. 그는 차창을 활짝 열었다. 휘몰아치는 바람이 그의 얼굴을 세차게 때렸다. 순간의 한기가 그의 지친 몸과 영혼을 자극했다. 검은 하늘. 검은 세상. 그리고 어둡게 가라앉은 마음.

그레고리는 동생 빅토르가 어느 순간부터 점점 자신과 멀어진다는 느낌을 지울 수 없었다. 그레고리는 누구보다 그를 살뜰하게 챙겼다. 숫기도 없고 외톨이에, 학교에서는 왕따인 그를 일진으로부터 지켜 준 건 그레고리였다. 그는 빅토르의 수호자였다. 하지만 빅토르가 영국에서 유학하고 돌아온 어느 시점부터 그는 변하기 시작했다. 하지만 그게 뚜렷하게 무엇인지 어떤 의미인지는 그레고리는 전혀 알지 못했다.

젠장, 나는 그저 내 형제와 조용히 살고 싶었단 말이야.

그날, 그레고리가 군대에 끌려가던 날, 바로 고속도로에서 비로소 그는 알게 되었다. 빅토르의 고통을. 그가 왜 나를 외면하는지를. 막내 세르게이는 마침내 그레고리에게 자신만이 간직한 비밀을 털어놓았다. 이리나의 딸 나타샤의 아버지가 빅토르라는 사실을. 그레고리는 그 순간 좌절했다. 그는 자신이 전혀 의도하지 않았지만, 가여운 여인을 죽음에 이르게 하였고 불쌍한 동생을 배신하고 절망으로 빠트린 것이다.

이후, 그레고리는 시시포스로 돌아가지 않았다. 모든 연락을 끊었다. 그리고 전혀 낯선 곳에서 새로운 이름으로 새로운 삶을 살았다. 그렇게 15년이 흘렀다. 하지만 그는 지금 다시 빅토르를 만나려 하고 있다. 지금 동생이 위험하다는 것을 직감한 것이다. 그는 동생의 수호자였다.

남킹 SF
소설집

브런치 스토리

남킹 컬렉션 #026

서글픈 나의 사랑

남 킹 장 편 소 설

남킹 컬렉션 #025

시시포스 5

5부

올리거 흘라디는 어둠 속에 눈을 떴다. 그리고 헐떡이며 숨을 삼켰다. 심장은 여전히 요동쳤다. 땀으로 몸이 흠뻑 젖었다. 그는 깨어났지만, 꿈의 그림자는 아직도 현실에 머물러 있다. 그 속에선 어둠의 속삭임이 울려 퍼져 빗방울처럼 그를 적시고, 그 모습은 아무리 피하려 해도 눈에 비치기 시작했다. 신문 기자의 갈기갈기 찢긴 형체. 산산이 부서진 존재들이 모든 존재의 무게를 지닌 듯 험악한 영혼을 품고, 그를 파고들었다. 그리고 마음속까지 갈라놓고, 죽음의 그림자를 비추었다. 매일 고통이 쌓여갔다.

젠장, 그냥 죽이라고 했지, 그렇게 죽이라고 했나.

그는 가까스로 상체를 세웠다. 초조함이 가득 찼다. 흐릿한 달빛이 그의 방을 채웠다. 바람이 창을 가볍게 두드렸다. 그는 작은 소리 하나에도 귀를 기울였다. 한 숨결마저 녀석의 그림자처럼 느꼈다.

그는 틀림없이 죽었어. 우리 모두 봤잖아. 그런데 왜 그가 여기 있는 것처럼 느껴지지?

올리거의 시선이 벽 모서리에 머물렀다. 침묵을 감싼 그림자가 일렁거렸다. 그리고 그것은 점점 명료해졌다. 인간의 형체. 그 그림자는 그의 신경을 날카롭게 자극했다. 입 안이 바싹 말랐다. 그는 신중하게 침을 삼켰다. 그리고 그때, 그것은 천천히 그에게 다가왔다. 올리거는 얼어붙기 시작했다. 그의 모든 것이 정지하였다. 그는 오직 그림자와 마주하는 순간만을 의식했다.

누구요? 당신은 누구요?

악몽을 심하게 꾸더군요.

굵게 갈라진 목소리였다.

누구요? 나를 죽이러 온 거요?

당신을 죽이러 왔다면 내가 왜 당신이 깨기를 기다렸겠소?

그럼 도대체 당신은 누구요?

올리거는 벽을 더듬으며 형광등 스위치를 찾았다.

잠깐! 불은 켜지 마시오! 내 얼굴을 보게 되면 당신에게 이로울 게 하나도 없소. 그냥 내 이야기를 듣기만 하시오. 당신에게 부탁이 있어 먼 길을 왔소. 그러니 안심하시오. 내 뜻만 전달하면 곧바로 사라지겠소.

그는 침대 옆으로 의자를 천천히 끌고 와 앉았다. 그리고 호주머니에서 담배를 꺼내 불을 붙였다. 일렁이는 불빛 속에 잠시나마 그가 그려졌다. 베레모를 쓴 그의 얼굴 전체는 진한 회색 수염이 덮고 있었다. 머리카락은 길게 자라 어깨까지 내려와 뒤엉켜있었고 입술은 얄팍했다. 그의 복장은 전형적인 야전 군복이었다. 하지만 군데군데 수선 자국이 보였다. 그의 손목과 팔에는 튼튼한 보호구가 착용되었다. 그의 모습은 낡고 흐렸다. 다만 그의 눈빛만큼은 빛났다. 그는 담배를 두 모금 피우고는 이윽고 시선을 올리거에게 돌렸다.

나는 민족해방전선 사령관 아르템입니다. 올리거 씨.

그럼?

네, 흔히 언론에서 떠들어 재끼는 반군 지도자입니다.

그런데 그런 분이 왜 저에게?

조금 전에 말씀드렸지 않았소? 부탁이 있다고.

그건 그렇습니다만, 제가 누구 부탁을 들어 줄 만큼의 인물이….

시시포스에서 가장 부유한 형제라고 들었소.

그럼 돈이 필요한 거군요?

그렇소. 요즈음 전쟁은 돈의 싸움이오. 누가 더 좋은 장비를 갖추었는가가 결국 승패를 결정한단 말이오. 그러니 늘 돈이 부족하오.

그렇다면 형수를 찾아갔어야 했습니다. 제게는 돈을 빌려드릴 권한이 없습니다. 게다가 저희 형제의 돈은 회사 회계 담당 부서의 승인이 필요하고요.

물론 나도 처음에는 당신 형수를 생각했소. 하지만 그녀가 누구요? 러시아 마피아 그미로바 가문의 딸이잖소. 대의명분이 서지 않소. 러시아로부터 독립하려고 이 투쟁을 하고 있는데 러시아에서 흘러나온 돈을 쓸 수는 없소. 게다가 마피아는 우리가 피땀 흘려 만들려는 민주 국가의 암적인 존재가 아니겠소. 그들은 우리가 꼭 제거해야 할 적이오.

그렇게 따지면 저희 형제의 돈도 결국은….

나는 당신 형제의 돈을 구걸하러 온 것이 아니오. 내 물건을 팔아 돈을 만들어 달라는 것뿐이오.

당신의 물건?

그렇소. 지금부터 내가 하는 말을 잘 듣고 간직하시오. 다만 절대로 다른 사람의 귀에 들어가면 안 되오. 이것이 만약 세상 사람들에게 알려지면 당신 형제의 목숨뿐만 아니라 시시포스 시 전체가 파멸의 길을 걷게 될 것이오. 알겠소?

시시포스 전체가?

그렇소. 이 이야기는 또한 내 아버지에 관한 이야기요.

아르템은 꽁초만 남은 담배를 비벼 끄고는 새 담배에 다시 불을 붙였다. 그가 다시 두 모금의 담배를 피우는 동안, 올리거는 그가 심한 허풍쟁이거나 노련한 거짓말쟁이일 거로 생각했다.

젠장, 이것도 뭔가 불길해. 나는 왜 이렇게 뜻하지 않게 자꾸 사건에 연루가 되는 거지.

내 아버지는 아이올로스 출신이오.

그렇다면….

그렇소. 나도 당신 형제나 마찬가지요. 시시포스에서 엎어지면 코 닿을 곳 아니오? 게다가 지금은 시시포스 시에 광역 편입까지 되었으니 그냥 시시포스 출신이라고 해도 무방할게요. 하지만 나는 모스크바에서 태어났어요. 구소련 시절 아버지는 공산당 간부였소. 한마디로 촉망받는 인물이었소. 그러니 모스크바에서 살았겠죠.

아르템은 담배를 한 번 길게 빤 뒤, 잠시 멈추었다가 훅 내뱉었다.

연기는 그의 입 주변에서 흩어져 무게를 잃어갔다. 마치 공허한 옛날을 그리는 것처럼 보였다. 그는 이제 약간의 미소를 띠며 그의 눈앞에 펼쳐진 그 날을 묘사하기 시작했다.

내가 시시포스로 돌아온 것은 15살 때였소. 아버지는 이곳에 오자마자 허허벌판 한가운데에 크고 아름다운 건물을 지었소. 지금 시 청사가 바로 그것이오. 그리고 사방으로 뻗은 넓은 길을 닦았소. 나는 아버지의 직업을 정확히 알지 못했소. 그냥, 아들 얼굴을 거의 못 볼 정도로 바쁘다는 것과 늘 공사 현장에서 여러 사람에게 둘러싸인 채 뭔가를 지시하는 모습뿐이었소. 그냥 뭔가를 건설하는 중요한 인물 정도로만 생각했소. 아주 오랜 후에, 그러니까 아버지가 돌아가시고 나서도 한참 지난 후에야 비로소 나는 아버지가 시시포스에서 무엇을 하였는지를 깨닫게 되었소.

시시포스 시를 만들었군요?

표면적으로는 그렇소. 하지만 내면은 달랐소. 나는 그 사실을 아버지의 유품을 우연히 정리하다 발견했소. 아버지는 소련 서기장 직속 비밀 단체의 수장이었소. 그가 관장하는 것은 대량 파괴 무기였소. 그는 소련 핵무기 개발의 핵심 인물이오. 그리고 시시포스는 그의 꿈이 담긴 초대형 프로젝트였소. 아시겠어요? 이 땅 지하에는 무기 저장소가 있소. 그곳에는 지금까지 인간이 개발한 모든 유형의 대량 파괴 무기가 숨겨져 있소.

그럴 리가?

올리거는 후들거리는 입을 다물 수가 없었다.

내가 말하지 않았소. 시시포스 시 전체를 파멸로 이끌 수 있다고….

하지만 왜 그런 엄청난 사실을 저한테 털어놓는 건가요? 보잘것없는 일개 사업가한테?

아르템은 말없이 그의 배낭에서 서류를 꺼내 올리거에게 건넸다.

이제 불을 켜도 좋소. 그리고 그 서류를 한번 보시오.

올리거는 침대 옆 플로어 램프를 밝히고 서류를 보기 시작했다.

축소된 설계도였다. 중앙을 중심으로 마치 거미줄처럼 사방으로 선들이 뻗어 있고 마디마디에 깨알 같은 글씨와 표시가 새겨져 있다. 그리고 그 표시에는 모두 일련번호가 매겨져 있다. 올리거는 마지막 번호를 확인했다. 44.

모두 44개의 저장고가 이 땅 지하에 만들어졌소. 당신은 아마 내가 어떻게 당신 침실에 몰래 침투할 수 있었는지 궁금하리라 생각하오. 당신의 집 안팎으로 수십 명의 보안 요원이 철통같이 지키고 있는데 말이오.

그럼 당신은 지하로?

그렇소. 당신도 알다시피 시시포스 시에는 시청사를 중심으로 4개의 저택이 동서남북으로 정확히 같은 거리에 세워졌소. 그리고 그 저택의 주인은 최근에 모두 바뀌었소. 2개는 그미로바의 막내아들 이고르로, 나머지는 당신의 형수 안나와 당신. 바로 이 집. 이 저택은 그냥 집이 아니오. 지하 저장고로 연결된 출입구란 말이오.

하지만 단지 내가 이 집 주인이라고 해서 나를 끌어들인단 말이오?

천만에. 당연히 그렇지는 않소. 처음 내가 주목한 이는 당신의 동생 빅토르요. 당연하지 않겠소. 수학과 물리학의 천재. 게다가 나의 대학 후배이자 지금 무기 개발 연구소에 있잖소. 개인적으로 친분도 있소. 그러니 내게 꼭 필요한 인재란 말이오.

내 동생이 꼭 필요하다고요?

그렇소. 내 물건. 이 핵무기를 적의 심장으로 보낼 수 있는 장치가 필요하단 말이오. ICBM. 대륙간 탄도 미사일 말이오.

이런! 미쳤소? 당신! 당신은 우리 모두를 죽이려고 하고 있소! 미사일이라니!

오히려 반대요. 우리를 지키기 위함이오. 적들이 모든 준비를 마쳤어요. 알겠어요? 조만간 그들이 사소한 빌미로 쳐들어올 거에요. 이 땅은, 시시포스는 초토화할 것입니다. 내 아버지가 만들었던 모든 것을 그들이 되찾기 위해 이곳으로 가장 먼저 쳐들어올 거에요. 우린 지금 시간이 없어요.

하지만 협상을, 말하자면 대화로 풀 수도 있잖아요. 비록 우리가 예전에 러시아의 속국이었지만, 이제 국제 사회가 우리를 지켜보고 있잖아요. 우리 지도자들이 해결할 수도 있잖아요?

우리 정치인을 믿으란 말이오? 젠장, 매일 눈으로 보고도 모르겠어요? 그들 대부분은 친러 성향 정치인이오. 그들은 시시포스에 있는 모든 무기를 몽땅 러시아에게 내어 줄 거예요. 원래 그들이 만든 거라는 명분으로 말입니다. 그러면 우리가 준 무기가 다시 우리를 향할 겁니다. 그때가 되면 우리는 모든 것을 잃게 된단 말이오. 당신 집 지하에 있는 이 무기만이 우리를 지켜내고 우리를 살릴 수 있어요. 알겠어요?

올리거는 고개를 설레설레 흔들었다. 마치 망치로 정수리를 세차게 얻어맞고 끝없는 심연으로 떨어지는 듯한 혼란을 느꼈다.

젠장, 나는 왜 자꾸 이런 일에 말려들어 가는 거야? 도대체 왜 이런 거야?

올리거는 늘 안정된 삶을 살고 싶었다. 그저 하루가 어제와 다르지 않고 내일도 다르지 않을 그런 평온함을 즐기고 싶었다. 하지만 어머니의 부재는 그런 그의 소박한 희망을 용납하지 않았다. 하루하루가 전쟁터였다. 형 니콜라이는 폭력의 피해자이자 가해자였다. 그는 아버지에게 받은 만큼의 고통을 동생들에게 엄격한 규율과 매질을 통해 돌려줬다. 올리거는 그런 형을 한동안 이해할 수 없었다. 동생을 살뜰하게 보살피는 몫은 온전히 올리거였다. 집안에서 올리거는 어머니가 되었고 니콜라이는 또 다른 아버지가 되었다.

올리거가 니콜라이를 이해하게 된 것은, 아버지가 재활센터로 보내지고 그곳에서 임종을 맞았을 때었다. 니콜라이는 글썽이는 눈물을 손으로 훔치며 올리거에게 말했다.

미안하다. 내 동생. 그동안 미안하다. 하지만 내가 아버지에게 부탁했다. 내 동생은 내가 직접 때리겠다고.

그 이후, 올리거는 니콜라이의 완전한 조력자가 되었다. 니콜라이의 꿈과 야망을 위해 그는 구정물에 손 담그는 것도 마다하지 않았다. 형의 성공에 장애가 되는 모든 것을 손수 제거했다. 형이 양지에서 빛을 내는 동안, 동생은 음지의 거름이 되었다. 그렇게 올리거는 점점 자신을 죽여갔다. 그는 형 없이는 아무것도 아닌 존재가 되었다. 지금도 그러했다. 형을 손수 감옥으로 보냈지만, 여전히 그는 형의 그림자였다.

하지만 아르템 씨, 저는 지금까지 모든 일을 형과 같이했습니다. 당신이 지금 쏟아 내는 이 엄청난 사실을 저는 혼자 도저히 감당할 자신이 없습니다.

네, 어느 정도는 짐작하고 있습니다. 올리거 씨. 뜬금없이 어느 날 누군가가 나타나 대량 파괴 무기가 어떻고, 전쟁이 어떻고라고 떠벌린다면 당연히 의구심이 들게 뻔합니다. 이해합니다. 하지만 상황이 긴박합니다. 그리고 이것은 당신 형 니콜라이와도 심각하게 엮여 있습니다.

제 형하고도 관련이 있다고요?

네, 미안하지만 이 자리는 협상 테이블입니다. 우리가 싸우고 있는 이 나라의 정부군에게 러시아 무기가 비밀리에 흘러 들어가고 있다는 정황을 발견했습니다. 그리고 그 브로커가 바로 그미로바입니다. 아시겠어요. 당신 형은 우리의 타겟입니다. 제거 대상이라고요.

그럼 저도?

물론입니다. 올리거 씨.

그런데 왜 아직도?

우리는 당신 형을 살려주는 대가로 당신을 이용할 생각입니다. 물론 당신의 동생 빅토르까지 포함해서 말입니다.

어떻게?

제가 말씀드렸듯이 우리는 돈이 필요합니다. 아주 심각하게 돈이 부족합니다. 지하에 저장된 무기 리스트를 당신에게 제공하겠소. 그러니 무기를 팔아주시오. 단, 러시아나 정부군과 친한 세력은 제외하시오.

그럼, 우리 형제의 안전은 보장하는 것입니까?

맹세하오. 털끝 하나 건드리지 않을게요. 그리고 당신 형 니콜라이는 감옥에 있는 게 안전합니다. 우리는 조만간 그미로바를 칠 겁니다.

그리고 다시 한번 강조합니다. 절대 이 사실을 누구에게도 발설하지 마시오. 당신 형제들조차도.

아르템은 말을 끝내자마자 올리거와 악수하고 신속하게 방을 나갔다. 그가 나가자 올리거는 방이 텅 빈 것처럼 느꼈다. 그리고 그곳으로 고통이 들어찼다. 늘 이런 식이었다. 다들 비밀이라고만 하였다. 막내 세르게이조차 그에게 비밀이라며 속삭였다.

형! 이건 절대 비밀이야. 형이니까 말하는 거야. 이리나의 딸 나타샤의 생부는 빅토르야. 누구에게도 절대로 말하지 마! 알았지! 특히 니콜라이 형에게는 절대로 절대로 하지 마. 그가 알면 이리나를 절대 가만두지 않을 거야. 알지?

****

세르게이는 답답해서 눈을 떴다. 빛이 가로막힌 암흑 속에 붉은 등 하나만 외로이 공간을 비추었다. 좁은 장갑차 안에 완전무장 한 스무 명의 특수 부대 요원이 앉아 있다. 차 내부는 긴장과 긴박함이 가득하였다. 그의 눈은 어둠 속에서도 빛나고 있었다. 그는 자신이 어디로 향하는지 알지 못했다. 그는 저녁 일곱 시에 수송기에 탑승하였고 밤 11시에 장갑차로 갈아탔다. 그리고 지금 거의 자정이 다가오는데 아직도 도로 위에 있다. 그가 확실하게 느끼는 한 가지는 꽤 먼 곳까지 왔다는 것이다.

한줄기 땀이 그의 이마를 타고 눈으로 스며들었다. 그는 눈을 몇 번 껌뻑이며 시야를 확보하려고 노력했다. 그때 장갑차의 진동이 크게 느껴졌다. 그리고 알 수 없는 통신 소음이 날카롭게 그의 귓가를 스쳤다. 그는 직감적으로 목적지에 거의 다가온 것을 느꼈다. 동료들도 마찬가지였다. 그들은 말없이 자신들이 착용한 무기를 점검하기 시작했다. 그때 소대장이 일어나 세르게이 앞에 섰다. 그는 부대원들을 한번 쭉 훑어보더니 작전 명령을 하달했다.

작전번호 1375. 세부 명령 하달.

그는 시계를 흠칫 한번 보더니 말을 이어갔다.

시간 공공일칠. 작전명은 민족해방전선 사령관 아르템 생포. 유력한 정보에 의하면 그가 교전 지역을 벗어나 변장 후 홀로 장거리 여행 중, 타겟 목적지에 잠입했다는 근거에 따른 체포 작전이다. 생포가 목적이나 작전의 특수성과 비상성, 긴급성에 따라 사살도 가능하다. 다시 한번 반복한다. 사살도 무방하다. 이상.

그의 말이 끝나기 무섭게 장갑차가 멈추었다. 갑자기 세상이 귀머거리처럼 조용해졌다. 하지만 3초 뒤, 장갑차 뒷문이 쇳소리를 내며 열렸다. 그때부터 모든 소음이 한꺼번에 시작하였다. 동료들의 발소리, 속삭임, 장비 부딪히는 소리, 기계음, 전자음, 호흡소리까지 쏟아졌다.

세르게이가 밖을 나와 사방을 둘러보니 옥수수밭이 시작하는 곳이었다. 먼 곳에서 불어오는 바람은 밭을 휘감으며 길게 자란 옥수수 그림자를 끄덕거리며 움직였다. 그에게 이런 풍경은 익숙하였다.

젠장, 고향 생각이 절로 나네.

한 줄기 달빛이 실루엣을 만든 밤의 풍경이 그의 체온과 숨결로 스며들었다. 그는 약간의 한기를 느끼며 동료들의 동태를 살폈다. 오랜 시간 여행의 여파인지 다들 표정이 좋지 않았다. 곧 이동 명령이 떨어졌다. 두 줄로 나누어 그들은 옥수수밭으로 들어갔다. 목표는 밭이 끝나는 지점에 외로이 서 있는 저택이었다. 어둠 속으로 긴장의 장막이 흘렀다. 그들의 강렬한 눈빛이 그 속에 가렸다. 특수 요원들은 걸음마다 사주 경계를 하며 저택으로 한 발짝 한 발짝 가까이 다가가고 있었다. 세르게이는 호흡을 천천히 하려고 노력했다. 시공간이 정지된 듯한 순간마다, 그는 모든 감각을 예민하게 살리며 긴장을 억눌렀다.

바람이 타겟에 가까울수록 점점 강해졌다. 마침내 저택이 흐린 달빛에 웅장한 모습을 드러냈다. 세르게이가 생각한 것보다 집은 훨씬 컸다. 그리고 담장도 마치 성벽처럼 매우 높았다. 작전의 위험과 불확실성이 더 크다는 뜻이다.

젠장, 저런 집에서 사는 놈들은 도대체 뭐로 돈을 번 거지?

그들은 풀밭이 끝나는 지점에서 잠시 걸음을 멈춘 채, 소대장을 중심으로 둥글게 섰다. 세르게이는 나이트 비전 장비를 착용했다. 그리고 소대장이 헤드마운트 디스플레이 장비를 착용하는 것을 도왔다. 그는 가슴에 손을 얹어 방탄조끼를 습관적으로 확인했다. 그리고 총구에 소음기와 레이저 조준기를 달았다.

대원들은 낮은 포복으로 간격을 벌렸다. 그리고 저택 주변을 지키고 있는 경호원들을 각자의 총구 망원경으로 조준했다. 발사 신호가 곧 떨어졌다. 세르게이는 숨을 죽이고 방아쇠를 당겼다. 몇 번의 픽하는 소리와 함께 경호원들이 모두 쓰러졌다. 곧이어 폭파 요원이 대문으로 잽싸게 달려가 폭발물을 부착하고 돌아왔다.

세르게이는 몸속 아드레날린이 치솟는 것을 감지했다. 호흡이 가빠지고 심장 소리가 뚜렷하게 들렸다. 곧이어 저택의 대문이 쾅 하는 소리와 함께 하늘로 치솟았다. 연기와 불꽃이 마치 축제 현장처럼 흩어졌다. 대원들이 일제히 문으로 달려갔다. 총소리와 섬광이 사방에서 요란하게 울려 퍼졌다. 특수 요원들은 그림자처럼 빠르게 이동하였고 경호원들은 저택의 각 코너에서 저항하고 있었다. 폭발과 난사 소리가 난무했다.

각각의 총알은 저택의 벽과 창에 무수한 흔적을 남기고 있었다. 총에 맞은 경호원들의 비명이 밤의 어둠에 날카롭게 매달렸다. 쓰러진 이의 몸이 피로 물들기 시작했다. 대원들은 더디지만 한 발 한 발 전진하였다. 그리고 총격과 폭발이 극에 달하던 순간, 경호원들의 저항이 뚝 끊어진 것을 확인한 소대장이 발포 중지를 명령했다. 흩어진 파편이 가득했다.

총격전의 연기가 서서히 사라지면서, 저택은 죽음의 침묵으로 잠겼다. 다친 특수 요원들은 힘겨운 숨을 들이쉬며 바닥에 주저앉았다. 세르게이는 그 순간을 포착해 냉철하게 집안으로 돌진했다. 그가 전진할수록 발걸음이 또렷하게 들려왔다. 그는 반군 지도자를 찾기 위해 몸을 숨길만 한 곳을 샅샅이 뒤지면서 2층으로 올라갔다.

2층 안방 문을 살며시 연 세르게이는 조심조심 안으로 들어갔다. 그리고 그는 어둠 속에서 바닥에 엎드린 채 벌벌 떨고 있는 자를 발견했다.

그는 총구를 그의 머리에 가까이 가져갔다. 그리고 단호한 소리로 외쳤다.

너의 이름이 뭐냐?

아무 반응이 없었다.

그는 다시 한번 총구를 그의 머리에 붙이고 물었다.

너의 이름이 도대체 뭐냐?

올리거입니다.

올리거?

네, 올리거 흘라디입니다. 살려주십시오.

세르게이는 그 순간 당황하지 않을 수 없었다. 그는 사방을 급하게 훑었다. 아무리 봐도 낯선 집이었다.

여 여기가 어디냐? 여기가 어디냐고?

네? 아 네, 시시포스입니다. 제발 살려주세요.

올리거는 고개를 천천히 돌려 세르게이를 애처롭게 쳐다봤다. 그의 눈에 눈물이 가득했다.

길에 내리는 빗물

남 킹 소 설 집

남킹 컬렉션 #024

안리칸테는
언제나 맑음

남킹 에세이

남킹 컬렉션 #023

시시포스 6

6부

니콜라이 흘라디는 뭔가 잘못된 것을 알아차렸다. 공중을 자유롭게 가로지르던 그의 몸을 갑자기 누가 심하게 잡아당긴 것이다. 그리고 그는 그 자리에서 대롱거렸다. 흐릿한 달빛 속에 그는 자기 낙하산이 나뭇가지에 걸린 것을 깨달았다. 강한 바람이 그를 숲속으로 데려간 것이다. 그는 버둥거려보지만, 낙하산을 덮어쓴 나무는 그를 놔줄 생각이 없어 보였다. 바람이 기괴한 소리를 내며 가지를 흔들었다.

젠장, 목표지점에서 얼마나 멀리 떨어진 거야? 도대체 여기가 어디지?

잠시 후, 그의 발밑에서 고함이 들렸다. 아군인지 적군인지 분간이 가지 않았다. 그는 소리를 지르고 싶은 충동을 꾹 참았다.

그래, 좀 더 지켜봐야 해.

그는 아래를 유심히 살폈다. 지금으로서는 그가 할 수 있는 게 그것뿐이었다. 지금 낙하산 줄을 끊고 내려가는 것은 너무 위험했다. 총을 든 군인들이 점점 많아졌다. 그들은 모두 반쯤 수그린 채 총구를 전방으로 향하고 천천히 발소리를 죽여가며 전진하고 있었다. 이윽고 가까운 거리에서 격렬한 총소리가 들렸다. 일부 군인들이 급하게 뒷걸음치며 물러났다.

꼼짝달싹 없이 나무에 매달린 그는 낭패감에 사로잡혔다. 발밑에 움직이는 군인들의 형태로 봐서 저자들은 적들이 틀림없었다. 만약 저들 중 하나라도 위를 쳐다본다면 그는 꼼짝없이 당하는 수밖에 없었다.

젠장, 상황이 더럽게 꼬였네.

전투는 더욱 격렬해졌다. 번쩍이는 섬광과 귀를 찢는 듯한 폭발음이 어둡게 드러누운 숲을 흔들어 깨우고 있었다. 믿을 수 없는 파괴와 피의 흐름이 그의 발아래에 펼쳐졌다. 반군들은 처음에는 밀리는가 싶더니 점점 숫자가 늘어 나면서 조금씩 전진하고 있었다. 그의 시간은 허공에서 정지해버렸다. 그는 이제 사지를 늘어뜨리고 자포자기의 심정으로 아래를 지켜보기만 하였다.

다행히 반군들은 그를 알아보지 못했다. 그들은 이제 그의 시야에서 자취를 감췄다. 총소리도 간간이 들리는가 싶더니 어느 순간 딱 멈췄다. 적막감이 숲을 다시 덮었다. 바람 소리가 더욱 커졌고 새소리도 다시 시작되었다. 니콜라이는 정강이에 찔러 둔 베인(bayonet)을 꺼내 낙하산 줄 하나를 잘랐다. 그리고 몸을 흔들기 시작했다. 마치 나무 꼭대기에서 그네를 타는 꼴이었다. 다행히 그의 몸이 앞으로 점점 더 나아가며 나뭇가지 하나를 손으로 잡을 수 있었다. 그는 찬찬히 낙하산 하네스를 벗고 나무에 매달렸다. 그리고 조심스레 아래로 내려갔다.

나무는 무척 높았다. 그는 나무에 꽤 오랜 시간 매달린 채 끙끙거리다 겨우 지상으로 발을 디뎠다. 하지만 문제는 그의 총기와 무기, 통신 장비가 여전히 나무에 매달려 있다는 거였다. 그에게는 칼 한 자루가 가진 것 전부였다. 그거라도 있다는 게 다행이었다. 그는 잠시 어디로 가야 할지를 고민했다. 흐리고 어두운 숲속. 별들도 거의 보이지 않는 빽빽한 산림. 그는 나침반도 없이 순전히 그의 직감으로 움직여야만 했다. 그는 적들이 간 반대 방향으로 발걸음을 옮기기 시작했다.

젠장, 그래도 답답한 감옥보다는 이게 낫지. 적어도 지금은 내 의지로 가는 거니까.

****

숲에 날이 밝을 때쯤 니콜라이는 탈수로 거의 쓰러질 듯 피곤한 상태였다. 하지만 그는 물소리를 들었다. 그는 죽을힘을 다해 산길을 헤쳐 나가기 시작했다. 돌부리에 무릎이 까이고 나뭇가지에 얼굴을 긁혀도 그는 꿋꿋하게 계곡으로 향해 나아갔다. 그리고 마침내 세차게 물이 쏟아지는 폭포수에 몸을 풍덩 담갔다. 얼음처럼 차가운 물은 그를 활력으로 가득 채웠다. 그의 상처와 지친 몸을 달래주었다. 폭풍처럼 흘러내리는 물줄기는 더없이 맑고 투명하였다. 머릿속의 그 어떤 걱정이나 애환도 이 순간에는 물결과 함께 온전히 사라졌다. 그는 비로소 살아있음을 느꼈다.

이 마법 같은 순간에 그는 모든 것을 잊어버리고 현실과 이상 사이의 경계를 넘어서는 듯한 희열을 간직하고 싶었다. 그를 쥐어짜던 과거의 악행과 탐욕이 마치 비늘처럼 떨어져 나가는 후련함을 짜릿하게 몸에 새기기를 원했다.

나는 그저 다시 새롭게 시작하고 싶었던 거야. 새롭게 태어나고 싶었단 말이야.

하지만 그의 행복은 그의 귓전을 스치는 굉음에 깨지고 말았다. 니콜라이가 돌아보니 어느새 반군들이 그를 향해 총을 쏘고 있었다.

그는 세찬 물살이 흐르는 계곡으로 몸을 맡겼다. 그는 빠른 속도로 하염없이 떠내려갔다. 그의 몸은 맹렬한 물살과 함께 춤을 추었다. 거친 파도에 부딪히며 거의 물속에 잠겨 숨이 멎을 듯한 순간이 빠르게 지나갔다. 그렇게 속절없이 한참을 떠내려간 그는 마침내 물살이 줄어들고 고요함마저 느껴지는 물웅덩이에 다다랐다.

물가로 나와보니 그의 옆구리가 붉게 물들고 있었다. 총알이 그의 옆구리를 관통한 게 분명하였다. 그는 한쪽 손바닥으로 지혈을 한 채 절뚝거리며 걸음을 옮겼다. 걸을 때마다 바늘로 살을 꿰매는 고통이 찾아왔다. 지혈한 손가락 마디 마디로 선혈이 흘러내렸다. 그는 그렇게 마을로 이어지는 길을 하염없이 걸었다. 그러다 결국 의식을 잃고 쓰러졌다.

****

니콜라이는 웅성거리는 소리에 눈을 떴다. 하얀 천장이 눈에 들어왔다. 옆을 보니 흰 가운을 걸친 간호사 두 명이 웃으며 이야기를 주고받고 있었다. 그리고 그의 오른손에는 수갑이 채워진 채, 침상 철제 난간에 묶여 있었다. 왼쪽 상완부에는 정맥 주사가 꽂혀 있었다. 링거병에는 노란 액체가 반쯤 담겨 있다.

여기가 어디 인가요?

니콜라이는 간호사를 보며 말을 걸었다.

간호사들은 대화를 멈추고 니콜라이를 바라보며 반가운 표정으로 다가왔다.

오, 깨셨군요. 담당 의사 부르겠습니다. 잠시만요.

잠시 후, 젊은 의사가 나타났다. 그는 오자마자 그의 눈을 살피고 청진기로 맥박을 잰 뒤, 니콜라이 옆구리를 손으로 가볍게 누르면서 물었다.

어떻습니까? 통증이 느껴지나요?

네, 네, 조금. 조금 느낍니다.

의사는 만족한 표정을 지으며 고개를 끄덕거렸다.

네, 좋습니다. 수술은 잘 된 것 같습니다.

저 그런데 의사 선생님. 여기는 어딘가요?

아, 네. 여기는 시립병원입니다. 그러니까 민족해방전선 직영 병원입니다.

의사는 니콜라이가 찬 수갑 주변의 손목을 만지작거리며 물었다.

이거 불편하지는 않습니까?

네, 저도 금방 깨어나서 그런지 아직은 괜찮습니다.

네, 다행이군요. 우선 귀하는 포로 자격으로 치료를 받으시는 거고요. 신분 확인을 위한 절차를 곧 진행할 예정입니다. 아무쪼록 마음 편히 게시기 바랍니다. 그럼 저는 이만….

의사가 나가고 난 뒤 얼마 후, 중년의 남자가 검은 돋보기안경을 낀 채 병실로 들어왔다. 그는 니콜라이의 침상에서 다용도 테이블을 꺼낸 뒤 그 위에 두툼한 서류를 올렸다. 그리고 니콜라이를 지긋이 쳐다보며 건조하게 물었다.

저는 포로 관리 담당 사정관 앤드리입니다. 당신의 이름은?

니콜라이입니다.

전체 이름은?

니콜라이 흘라디입니다.

출생은?

시시포스입니다.

서류에 볼펜으로 니콜라이의 기록을 적던 앤드리는 갑자기 손동작을 멈추었다. 그리고 니콜라이를 빤히 쳐다봤다.

당신이 정말 니콜라이 흘라디입니까?

네, 맞습니다.

시시포스의 위스키 제왕 니콜라이가 바로 당신인가요?

네, 주류 사업을 하고 있습니다.

그런데 왜 여기에?

그럴만한 사정이 있습니다.

앤드리는 의심스러운 표정으로 니콜라이를 스캔하듯이 머리끝부터 발끝까지 훑어보았다. 그리고 그는 휴대폰을 꺼내 니콜라이 이미지를 구글에서 검색한 뒤 사진과 니콜라이를 번갈아 보며 대조 작업을 하였다. 그동안 니콜라이는 시선을 어디 둘지 몰라 계속해서 천장만 바라봤다. 뭔가 확신이 섰는지 앤드리는 펼쳐놓은 서류를 다시 주워 담아 가방에 넣었다. 그리고 투명한 셀로판지처럼 생긴 것을 꺼내 니콜라이 앞에 놓았다.

두 손바닥을 이곳에 꾹 눌러주시기를 바랍니다. 니콜라이 님.

이것이 뭔가요?

지문을 뜨는 필름입니다.

앤드리의 표정과 말이 이전보다 공손하였다. 니콜라이는 손바닥을 필름에 꾹 눌렀다. 앤드리는 조심스레 필름을 봉투에 밀어 넣고 밀봉한 뒤 가방에 넣고 일어섰다.

신분 확인이 끝나는 대로 다시 방문하도록 하겠습니다. 니콜라이 님.
앤드리는 다정하게 인사를 하고 나갔다. 그가 나가고 난 뒤 얼마 되지 않아 니콜라이의 병실이 바뀌었다. 그는 병원의 맨 꼭대기 층 1인실로 옮겨졌다. 그리고 수갑 대신 전자발찌가 채워졌다.

****

니콜라이는 진통제를 복용하고 거의 새벽에 막 잠이 들었다. 하지만 누군가가 그를 흔들어 깨웠다.

죄송합니다. 이렇게 밤늦게 곤하게 주무시는데…. 니콜라이 흘라디 님.

아뇨, 괜찮습니다. 막 잠이 들었습니다. 그런데 누구신지?

저는 민족해방전선 사령관 아르템입니다.

아, 반군 지도자시군요. 그런데 야심한 시각에 왜 저를?

우선, 본의 아니게 니콜라이 님에게 총상을 입힌 점에 대해서 사죄를 드립니다.

네 괜찮습니다. 그다지 큰 상처는 아니었습니다. 게다가 여기 병원 종사자분들의 극진한 치료를 받고 있으니 오히려 제가 감사할 따름입니다.

그렇게 말씀해주시니 무척 감사합니다. 사실 동생분의 요청으로 니콜라이 님의 안전에 대하여 저희도 특별히 신경을 쓰고 있었습니다.

제 동생의 요청으로?

네, 올리거 님과는 1년 넘게 거래하고 있습니다.

제 동생 올리거를 아시는 건가요?

네, 저희 물건을 동생분이 제삼 세계에 판매하는 일을 하셨습니다.

어떤 물건인가요?

대량 파괴 무기들입니다.

그럼, 핵무기 같은 것들인가요?

네, 그것도 포함해서입니다.

아니, 그런 위험한 물건을 생산한다는 말씀인가요?

구소련 때 만들어진 것입니다. 그리고 시시포스 지하에 저장되어 있습니다.

시시포스 지하에요?

네, 무척 많은 양이 저장되어 있습니다. 그리고 지금 러시아가 그것을 되찾으려고 하고 있습니다. 무력으로 말입니다. 사실 이미 교전 상태입니다. 뭐 니콜라이 님이 지금 직접 겪고 있으니까 잘 아시리라 생각합니다.

제가 들은 바로는 흑해 연안 3개 도시에서 반군을 몰아내는 것입니다.

네, 표면적으로는 그렇습니다. 러시아의 용병 그룹이 정부군을 지원하여 저희 반군을 도시 외곽으로 몰아내는 것이죠. 하지만 그들의 목표는 시시포스입니다. 우리나라가 핵으로 무장하는 것을 저들은 극도로 두려워하고 있습니다. 이는 서방 강대국들도 마찬가지입니다. 즉, 저희는 외로운 싸움을 하고 있습니다.

그럼 제 동생 올리거도 지금 매우 위험한 상태인가요?

네, 사실대로 말씀드리면 그렇습니다. 지금 시시포스에서 힘든 시기를 보내고 있습니다. 그 점에 대해서도 무척 송구스럽게 생각합니다. 사실 동생분이 저와 처음 접촉할 당시, 저희 내부의 반역자로 인해 정부군에게 잡혀갈 뻔하기도 하였습니다. 천만다행으로…. 음…. 그러니까…. 참, 막내 이름이 어떻게 되는가요?

제 막내 말입니까? 세르게이라고 합니다만….

네, 맞습니다. 세르게이의 도움으로 무사히 빠져나갈 수 있었습니다.

제 막내가요?

네, 세르게이는 특수 부대 요원으로 저를 잡으러 왔다가 올리거 님을 우연히 만난 것으로 알고 있습니다. 말하자면 하늘이 도운 거죠.

지금 세르게이는 무사한가요?

그날 이후, 아직 별다른 소식을 접하지는 못했습니다.

니콜라이는 모처럼 만에 동생 소식을 접할 수 있어서 반가웠지만, 그들이 지금 겪고 있을 고통을 생각하니 마음이 무겁게 내려앉았다. 허전한 그리움의 그림자가 그의 얼굴을 흐리게 적셨다. 특히 막내가 전쟁터에서 힘들고 험난한 여정을 겪고 있을 것을 생각하니 마음이 찡하게 아팠다.

세르게이는 늘 웃는 아이였다. 심지어 형에게 맞을 때도 돌아서서 털털하게 웃으며 모든 것을 잊으려고 노력했다. 니콜라이는 그런 그에게 따스한 말 한마디 제대로 하지 못한 게 늘 짐으로 남아 있었다. 니콜라이의 어두운 표정을 지켜본 아르템은 조용히 앉아 그가 다시 운을 뗄 때까지 기다렸다.

이윽고 니콜라이가 말 문을 열었다.

그래서 사령관님, 저를 찾은 이유는 무엇인가요?

우선, 면목 없습니다. 왜냐면 저는 올리거 님에게 부탁했던 거와 유사한 이야기를 하려고 합니다. 돈입니다. 돈이 무척 부족합니다.

사령관님, 죄송하지만 돈에 관해서는 제가 도와드릴 수가 없을 것 같습니다. 우선, 제가 갇히면서 제 은행 계좌는 모두 동결이 되었습니다. 부동산은 모두 아내 명의로 되어 있고 금고에 약간의 현금과 금붙이 정도가 있습니다만 제 금고가 아직 남아있는지는 불확실합니다.

니콜라이 님의 돈을 요청하는 것은 아닙니다. 저는 그미로바 가문에 관해서 묻고자 합니다.

아, 그미로바 가문 말씀이시군요. 우선 저와 친분이 있는 이고르는 도벽에 낭비벽도 심해 거의 남아있는 게 없을 것입니다. 가능한 옵션은 레오입니다. 그는 은행 시스템을 극도로 싫어합니다. 그래서 대부분 현금과 금괴를 집에 보관합니다.

저희도 그렇게 파악을 했습니다. 그래서 니콜라이 님에게 이렇게 찾아온 것입니다. 레오 집 내부를 알고 있는 유일한 분이니까요.

하지만 그의 집은 100만 평이 넘는 부지에 저택만 10개가 넘습니다. 그리고 중무장한 경호 부대가 상주하고 있습니다. 자칫 엄청난 병력 손실로 이어질 수 있습니다.

그래서 니콜라이 님이 꼭 필요합니다. 저희를 꼭 도와주십시오. 이는 시시포스를 지키기 위해서도 꼭 필요한 일입니다.

혹시 제가 레오에게 팽 당한 것도 알고 계시나요? 사령관님.

네 동생에게서 들었습니다.

네, 좋습니다. 사령관님을 돕겠습니다. 그리고 두 가지 부탁이 있습니다.

네, 말씀하시지요.

하나는 제 동생들을 보호해주시기 바랍니다.

약속합니다.

그리고 레오의 목은 제가 직접 따도록 하겠습니다.

그러시죠.

****

니콜라이는 반군과 함께 완전무장 한 상태로 어두운 숲을 조용히 걸으며 레오의 저택으로 향했다. 무거운 침묵이 숲을 감쌌다. 그는 어깨에 짊어진 육중한 무선 장비로 인해 땀을 비 오듯이 흘렸다. 하지만 눈빛은 그 어느 때보다도 진지했다. 그는 감옥에서 이런 날이 오기를 학수고대했다.

더러운 건달 새끼! 레오를 꼭 내 손으로 작살을 내고 말겠다.

마침내 높은 담장과 그 위에 끝없이 이어진 철망이 나타났다. 작전 대장은 양쪽 감시탑을 망원경으로 번갈아 가며 보고는 안심한 듯, 대원들에게 실행 명령을 내렸다. 수동 굴착기를 이용해 군인들이 땅을 파기 시작했다. 나머지 병들은 줄곧 사방을 예의주시했다.

작은 땅굴이 만들어졌다. 대원들은 한 명씩 한 명씩 그 속으로 기어 들어 갔다. 여전히 세상은 고요했다. 그저 바람 소리뿐이었다. 그들은 다시 저택 근처로 천천히 다가갔다. 이윽고 흐리지만, 집의 윤곽이 나타나기 시작했다. 니콜라이에게는 꽤 익숙한 집이었다. 다만 오늘은 이전과는 다른 목적과 의지로 인해서 그런지 그저 낯설기만 하였다.

저택은 압도적인 위세로 줄지어 서 있었다. 하지만 니콜라이는 저 저택 중 어디에 니콜라이가 묵으며 어디에 돈을 숨겨 두는지를 이미 알고 있었다. 선발대가 4번째 저택으로 서서히 접근했다. 그리고 그 순간, 숲의 고요한 밤이 번쩍이며 어둠에서 깨어났다. 지나치게 큰 비상 사이렌 소리와 함께 모든 가로등이 불을 환히 밝혔다. 저택들도 모두 잠에서 깨어났다.

삽시간에 교전이 시작되었다. 총성과 울림이 폭발했다. 반군들은 가까운 지형지물로 숨은 채 레오의 경호 부대에 반격했다. 저택 주변은 혼돈과 전투의 파동으로 점철되었다. 몇 명은 검은 그림자처럼 빠르게 전진하며 저택 근처로 들어갔다. 니콜라이는 자신의 병기를 쥐고 저돌적으로 싸웠다. 이제 레오의 저택은 혼란과 혈투로 뒤덮였다. 니콜라이는 일부 대원들이 저택을 향해 돌진하는 모습을 지켜보며 자신감을 키웠다.

그래! 레오 이 녀석! 오늘이 너 제삿날이다!

레오의 대저택은 점차로 반군들의 손에 떨어져 갔다. 저택의 문은 마침내 열리고, 그 안으로 대원들이 한 명씩 한 명씩 빨려 들어갔다. 니콜라이도 문으로 들어갔다. 그는 이 순간을 기억하기로 마음먹고 주위를 찬찬히 살폈다. 그 순간 총소리가 뚝 멈췄다. 하지만 다른 소리가 들렸다. 니콜라이는 그 소리가 자동차 엔진소리라는 것을 직감했다.

레오! 이 녀석이 차로 도망간다!

니콜라이는 급하게 도로로 나왔다. 헤드라이트도 켜지 않은 세단 한 대가 빠른 속도로 자신에게 다가오고 있었다. 니콜라이는 사정없이 그 차에 총격을 가했다. 차의 전면 유리창이 박살 나고 보닛에 수십 개의 구멍이 난 차는 니콜라이 바로 코앞에서 핸들이 심하게 꺾이면서 데굴데굴 구르기 시작했다. 니콜라이는 급하게 전복한 차량으로 달려갔다. 차에서 튕겨 나온 이가 신음하며 도로 옆 풀밭에서 누워 있었다. 잠옷 차림을 한 레오였다.

레오! 나를 똑바로 봐! 내가 누군지 알겠지!

니콜라이는 큰소리로 외쳤다. 하지만 레오는 그저 누운 채 입맛 벙긋거렸다. 니콜라이는 총구를 레오의 입에 쑤셔 넣었다. 그리고 말했다.

내가 한 말 기억하고 있냐? 이 더러운 양아치 새끼야! 시시포스를 더럽히면 언젠가 후회하게 될 거라고. 바로 오늘이 그 날이다. 나중에 지옥에서 보자!

니콜라이는 힘껏 방아쇠를 당겼다.

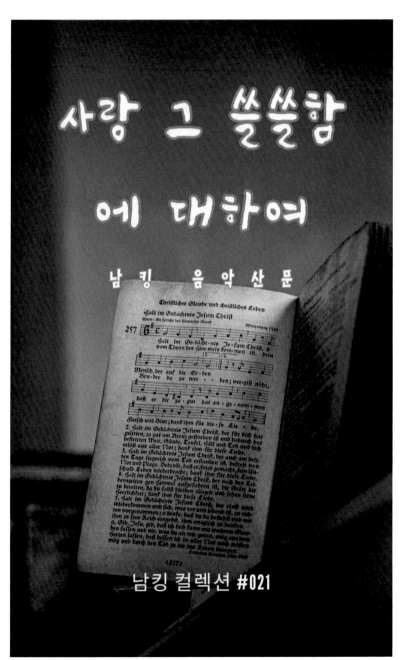

시시포스 7

7부

빅토르 흘라디는 옥스퍼드에서도 여전히 외톨이였다. 그리고 단순한 삶을 살았다. 장소만 시시포스에서 영국으로 옮긴 것뿐이었다. 그는 강의실, 실험실, 도서관, 아르바이트 공간을 다람쥐 쳇바퀴 돌 듯이 돌았다. 하지만 그에게도 사적인 만남은 존재했다. 한 달에 한 번 <니힐>이라는 모임에 참석했다. 니힐은 무의미함을 나타내는 라틴어로 시시포스 신화와 관련이 있다. 즉, 신들을 기만한 죄로 산 정상으로 바위를 밀어 올리는 벌을 받게 된 시시포스에게 바위는 정상에 오면 다시 아래로 굴러떨어지기 때문에 처음부터 다시 올려야 하는 영원한 노동이었다. 바로 이 무의미함이 인간의 삶과 같다고 하여 붙여진 이름이었다. 다분히 철학적인 요소를 품고 있지만, 모임의 성격은 시시포스 출신 옥스퍼드 재학생의 향우회로, 그냥 먹고 마시고 떠들다 헤어지는 거였다.

회원은 고작 세 명이었다. 그것도 빅토르가 입학하여 한 명 추가가 된 거였다. 그런데도 모임의 형식은 다 갖추고 있었다. 회장과 총무가 있고 회칙과 회비가 엄연히 존재했다. 니힐의 회장은 아르템으로 정치학과 학생이었다. 그는 막대한 유산을 물려받아 고향에서 호의호식하며 조용히 살 수도 있었으나 다분히 선동적이고 혁명적인 성향이 강했다. 그는 옥스퍼드에서 꽤 많은 모임에 참석했고 항상 모임을 주도했다. 그는 논쟁을 좋아하고 불의를 보면 참지 못하는 성격이었다. 그는 자신이 옳다고 생각하는 것을 관철하기 위해 수단과 방법을 가리지 않았다.

니힐의 총무는 블라디미르로 컴퓨터 공학 학생이다. 아르템과는 고등학교 동기였다. 그는 빅토르보다 세 살이 많았다. 사실 빅토르가 시시포스에서 수학 천재로 이름을 떨치기 전까지 그 유명세는 블라디미르의 것이었다. 블라디미르도 아르템처럼 금수저로 태어났다. 그의 아버지 그리고 그 형제들은 모두 시시포스의 유명 법률가였다. 하지만 블라디미르는 아버지의 간절한 바람에도 불구하고 법관의 길을 포기하고 프로그래머가 되었다. 그는 이미 10살 때부터 해커였다. 해킹이 그의 유일한 취미이자 오락이었다.

니힐의 회장과 총무는 빅토르가 옥스퍼드에 입학하자 뛸 듯이 기뻤다. 왜냐하면 2년 만에 처음으로 회원을 맞이하였기 때문이다. 그래서 그들은 빅토르가 학교생활에 잘 적응할 수 있도록 물심양면으로 도왔다. 특히 빅토르의 아르바이트 자리는 늘 아르템이 물어다 주었다. 빅토르도 그들을 형처럼 따랐다. 마치 그들은 올리거와 그레고리 형의 자리를 대신한 것처럼 그는 느꼈다.

빅토르가 1학년을 끝낼 때쯤 니힐이 교내에서 꽤 유명해지게 되는 사건이 발생했다. 아르템의 지도 교수가 같은 성가대 소속 어린 소녀를 교회에서 성추행한 것이다. 이 사건은 일파만파 퍼져나갔고 비슷한 연령대의 다른 피해자들이 나오면서 교수는 법정 구속으로 이어졌다. 하지만 어쩐 일인지, 학교는 입을 다물고 피해 여학생 모두 증인 출석을 거부하면서 판결은 싱겁게도 무혐의 처리가 되어 버렸다. 아르템이 이런 거를 그냥 넘길 위인이 아니었다. 그는 뜻을 같이하는 학생들을 끌어모아 교내 시위를 주도했다. 당연히 그는 데모

주동자로 학내징벌위원회에 의하여 무기정학을 받았다. 하지만 아르템이 그 정도로 물러설 사람이 아니었다. 그는 더욱 많은 학생을 끌어들여 학장실을 점거하고 농성에 들어갔다. 결국 일주일 만에 시위진압 경찰이 동원되어 그는 구치소에 갇히고 말았다. 하지만 그때반전이 일어났다. 교수의 노트북에서 수백 개의 어린이 나체 사진과동영상이 발견되었다. 여론이 삽시간에 바뀌었다. 결국 학교 이사회는 공식적으로 사과하고 해당 교수를 파직 및 고소했다. 아르템은당연히 풀려났다. 그는 이제 학내 유명 인사가 되었다. 하지만 그가처음 향한 곳은 니힐 모임 장소였다. 그는 그곳에서 블라디미르에게감사를 표했다. 왜냐하면 그 교수의 노트북을 해킹한 사람이 바로블라디미르였기 때문이었다.

아르템은 그때부터 아마 자신을 불타오르게 하는 혁명적인 사상과민족주의적 자존심에 바탕을 둔 정치적 야심을 키웠는지도 모르겠다. 그가 느끼는 그의 나라는 한심하기 짝이 없었다. 러시아 속국에서는 벗어났지만, 여전히 정치, 경제, 문화적인 측면에서 종속적이었다. 그러므로 정치인 대부분이 친러 색채를 띠는 것은 당연하였다. 그리고 세상에서 가장 비옥한 땅을 지녔지만, 여전히 유럽에서 가장가난하였다. 그는 서유럽 선진국에 문호를 활짝 개방하고 그들의 기술과 시스템을 적극적으로 수용하여야만 자신의 나라가 부강해질 수있다고 믿었다. 그러기 위해서는 무엇보다 러시아의 영향에서 완전히 벗어나야만 한다고 생각했다. 그리고 그의 생각을 실행에 옮기게되는 결정적인 사건이 뒤이어 벌어졌다.

아르템은 아버지의 유품을 정리하던 중 이상한 서류를 발견했다. 얄팍한 몇 장의 종이였지만 일급 비밀이라는 문양이 새겨져 있고 소련 서기장 사인까지 포함되어 있었다. 내용은 무슨 프로젝트에 관한 전반적인 일정이었는데, 인터넷에서 해당 내용은 전혀 검색되지 않았다. 아르템은 이 서류를 블라디미르에게 보였다. 그리고 블라디미르는 러시아 정보기관을 해킹하여 해당 프로젝트의 내용을 몇 시간 만에 파악했다. 한마디로 그 프로젝트는 시시포스 시의 탄생 배경이었다. 서유럽 혹은 흑해 연안 국가와 전쟁 발발 시 사용하게 될 무기 공급처였다.

아르템은 이 놀라운 발견으로 자신의 진로를 완전히 확정 지었다. 러시아로부터의 완전한 독립을 위한 자주국방이었다. 그는 블라디미르와 빅토르를 설득했다. 블라디미르는 원래부터 민족적인 성향이 강하였으므로 손쉽게 아르템과 손을 잡았다. 빅토르는 그때 이리나에게 실연을 당한 상태였다. 그는 아무도 없는 오지에 꼭꼭 틀어박혀 연구만 하고 싶었다. 아르템은 이 점을 노렸다. 그는 물려받은 막대한 유산으로 흑해의 한 조그마한 섬을 사들였다. 그리고 그곳에 무기 개발 연구소를 만들었다. 물론 표면적으로는 기초 과학 연구소로 등록했다. 결과적으로 빅토르에게 그곳은 직장이자 정신적 피난처가 되었다.

****

빅토르 흘라디는 계속해서 시간을 쳐다봤다. 하지만 오늘따라 그의 시간은 무척 더디기만 하였다. 그는 지금 모니터에 실시간으로 바뀌는 실험 데이터 숫자들을 쳐다보고는 있지만 몇 시간째 거의 집중하지 못하고 있다. 이런 경우가 무척 오랜만이었다. 마치 이리나와 첫

데이트를 하던 때 같았다. 그는 나타샤의 모습에서 이리나를 떠올렸다. 게다가 그를 쏙 빼닮은 수학적 재능에 그는 흥분을 감출 수가 없었다. 그는 이리나에게 새삼 고마움을 느꼈다.

잘 키워줘서 고맙다. 내 사랑. 이리나.

빅토르는 나타샤와 저녁 약속을 하였다. 나타샤는 그의 제안을 흔쾌히 받아들였다. 왜냐하면 그녀도 어느 정도 직감은 하는 상태였다. 사실 그녀는 면접이 끝나자마자 숙소에서 빅토르에 대한 정보를 검색했다. 그리고 그가 적어도 자신의 생부인 그레고리와 밀접한 관계일 것이라고 예상했다.

****

그레고리 흘라디는 오데사에 48시간째 머물고 있다. 그는 섬으로 가는 보트를 빌리려고 하였지만, 사정이 여의찮았다. 왜냐하면 정부군과 반군 간의 치열한 전투가 오데사에서 불과 10km 떨어진 곳에서 벌어지고 있었다. 선주들이 선뜻 그레고리에게 배를 내놓지 않았다. 그의 속만 타들어 갔다. 그는 하는 수 없이 사비를 털어 소형 고무보트를 구매했다. 이 배를 끌고 섬까지 가는 것은 위험천만한 일이었다. 약간의 강풍만 불어도 배가 뒤집혀 물고기 밥이 되기에 십상이었다. 하지만 그는 모험을 걸 수밖에 없었다. 지금까지 그가 수집한 정보에 의하면 러시아 용병 그룹이 그 섬을 첫 번째 타겟으로 삼고 있다는 거였다. 빅토르에게 이 사실을 꼭 알려야만 하였다.

다행히 바다는 잔잔했다. 그는 방파제를 벗어나자마자 고무보트의 속도를 최대한 올렸다. 배가 먼바다로 갈수록 파도가 점점 커졌다. 그레고리는 이를 악물고 파도를 헤치고 앞으로 나아갔다. 그는 이따금 휴대폰을 꺼내 지도에 기록된 섬과의 거리를 확인하곤 하였다. 앞으로 50km는 더 가야만 했다. 보트로 족히 3시간 이상은 운전해야만 했다. 그것도 최대 속도로 말이다. 그는 엔진이 그때까지 버텨주기만을 간절히 바랐다.

그레고리가 거의 2시간 정도 보트를 운전하였을 때, 그는 하얀 거품을 길게 그리면서 섬으로 이동하는 전함을 목격했다. 가슴이 철렁 내려앉았다. 아무래도 러시아 전함 같았다. 하지만 지금 그가 할 수 있는 일은 아무것도 없었다. 그저 빨리 보트를 몰아 섬에 도착하는 것뿐이었다. 하지만 보트는 그의 조급한 마음은 외면한 채 바닷바람을 몸으로 맞으며 힘겹게 전진하고 있었다.

그레고리가 섬에 거의 도착했을 때, 그는 전함에서 수십 대의 드론이 날아 육지로 향하는 것을 목격했다. 누가 봐도 공격용 드론이 확실했다. 그는 해변에 고무보트를 내팽개치듯이 던져 놓고는 죽을힘을 다해 달리기 시작했다. 하지만 그가 연구소의 흰 건물을 보았을 때는 이미 드론의 공격이 절정에 올라 있었다. 건물 대부분이 화염에 휩싸였다. 그는 절망적으로 그의 동생 빅토르를 찾기 시작했다. 무너진 빌딩 잔해 사이를 힘겹게 걸으며 빅토르를 외쳤다.

****

빅토르는 이른 시간에 약속 장소에 나갔다. 섬에서 거의 유일한 고급 레스토랑이었다. 풍경 좋은 절벽에 세워진 이곳은 빅토르가 지금까지 소피아와 외식할 때만 찾는 곳이었다. 그는 테이블에 앉아 전면 유리창을 가득 채운 푸른 바다를 기분 좋게 바라봤다. 저녁노을이 한쪽 지평선에서 살짝 붉은 모습으로 그를 응원하는 듯하였다.

그는 이런 기분을 느낀 게 정말 오래간만이었다. 그는 추억에 젖기 시작했다. 하지만 그의 감상은 나타샤의 등장으로 곧 사라졌다. 그녀는 해맑은 미소를 지으며 빅토르의 맞은편에 앉았다.

나타샤 님, 오늘 첫 출근은 어땠나요?

글쎄요, 뭐가 뭔지 모르게 그냥 흘러갔어요. 모든 게 서툴고 생소한지라….

네, 처음에는 그럴 거예요. 하지만 곧 익숙해질 겁니다. 이곳 생활이 비교적 단순한 편이라 적응하기가 어렵지는 않을 겁니다.

네, 아무튼 많이 도와주시기를 바랍니다. 흘라디 박사님.

네, 열심히 도와드리겠습니다. 우리 연구소에 모처럼 만에 무척 똑똑한 분이 오셨으니….

빅토르와 나타샤는 동시에 소리 내 웃었다. 하지만 그 소리는 곧 웅하는 엔진소리에 묻혔다. 빅토르가 호기심으로 시선을 밖으로 돌렸다. 그리고 그는 창으로 다가서는 드론을 목격했다. 드론은 잠시 머뭇거리더니 이윽고 다른 방향으로 날아갔다. 그때 빅토르의 휴대폰이 울렸다. 동시에 레스토랑 전체가 흔들렸다. 그리고 거친 폭발음이 계속해서 울렸다. 빅토르는 올 것이 결국 왔다고 직감했다. 그는 최근에 블라디미르 연구소장으로부터 지속해서 정부군과 반군 사이의 교전 상황을 걱정하는 메시지를 주고받고 있었다. 빅토르는 나타샤에게 외쳤다.

나타샤! 피신해야겠어! 날 따라와!

빅토르는 나타샤와 함께 손님들이 우르르 빠져나가는 뒷문으로 같이 나갔다.

나타샤! 우선 대피소로 같이 갑시다! 거긴 안전해요.

빅토르가 앞장서서 거의 뛰듯이 걸어갔다. 나타샤가 그의 뒤에서 숨을 헉헉거리며 쫓아왔다. 그때 휴대폰이 다시 울렸다. 블라디미르였다. 빅토르는 걸으면서 전화를 받았다.

여보세요!

네, 박사님! 지금 연구소가 폭격을 당하고 있습니다. 어디 계시는가요?

네, 지금 나타샤와 함께 레스토랑에서 나와 대피소로 이동 중입니다. 소장님은 다친 데는 없습니까?

네, 괜찮습니다. 저도 지금 대피소로 가고 있습니다. 그럼 나중에 뵙겠습니다. 조심해서 오세요.

네.

＊＊＊＊＊＊＊＊＊＊＊＊＊

그레고리는 화염과 연기에 휩싸인 건물 잔해 사이를 힘겹게 이동하며 만나는 사람마다 빅토르의 행방을 물었다. 그리고 마침내 빅토르의 연구실 비서와 마주쳤다.

흘라디 박사님은 지금 레스토랑에 있습니다. 오늘 저녁 약속이 있어 조금 일찍 나갔습니다.

그 레스토랑이 어디인가요?

저기 저쪽 절벽 쪽입니다.

그레고리는 그녀가 손가락으로 가리키는 쪽을 봤다. 저녁노을이 온통 빨갛게 하늘을 물들이고 있었다. 그는 다시 그쪽으로 뛰기 시작했다. 좁은 흙길이 고불고불 언덕을 따라 끊어질 듯 이어졌다. 그는 땅과 절벽을 번갈아 보며 있는 힘껏 뛰었다. 그가 레스토랑에 도착했을 때는 이미 사방이 어두웠다. 그는 숨을 헐떡이며 레스토랑의 문을 벌컥 열었다. 아무도 없었다. 텅 빈 곳이었다. 그곳으로 고통이 밀려왔다.

빅토르는 대체 어디로 갔을까?

그는 한동안 레스토랑을 살폈다. 그러다 갑자기 그는 인기척을 느꼈다. 몸을 어둠에 숨기며 그곳을 쳐다봤다. 군인들이었다. 몇 명의 러시아 용병들이 완전무장을 한 채 레스토랑으로 살금살금 접근하고 있었다. 그는 급히 주방에 있는 대형 냉장고 뒤편으로 몸을 숨겼다. 군인들이 식당으로 들어왔다. 그들은 얼마 동안 주위를 샅샅이 살핀 뒤, 아무도 없다는 것을 확인하자 곧바로 음료수 냉장고 문을 열고 맥주 캔을 꺼내 급하게 마시기 시작했다. 그들은 단숨에 캔 서너 개씩 비웠다. 그리고 그들은 지도를 펼쳐놓고 뭐라고 떠들더니 곧바로 레스토랑을 나갔다. 러시아어에 능한 그레고리는 그들이 대피소로 간다는 것을 알았다. 그리고 그곳에 빅토르가 피신해 있을 것으로 생각했다. 그래서 그 군인들을 살금살금 미행하기 시작했다.

＊＊＊＊＊＊＊＊＊＊＊＊＊

빅토르가 대피소에 도착해 보니 제법 많은 사람이 모여 있었다. 그들 모두 겁에 잔뜩 질린 표정이었다. 그중에 몇몇은 다쳤는지 찢어진 옷에서 핏자국이 보였다. 빅토르와 나타샤는 천천히 그들 사이를 헤집고 안쪽으로 들어갔다. 빅토르는 나타샤가 매우 걱정이 되었다.

미안해요. 출근 첫날부터 이런 변을 겪게 되어서.

아니에요. 전쟁이 매우 심각하게 커지고 있다는 것은 알고 있었어요.

다만 이런 작은 섬을 공격하리라고는 전혀 생각을 못 했어요.

그래서 미안한 거예요. 이제 이렇게 된 이상 사실대로 말해야겠습니다. 사실 우리 연구소가 민족해방전선의 자금으로 세워진 곳입니다.

네? 그럼 저들이 우리 연구소를 노리는 건가요?

네. 그렇습니다. 그러니 혹시 저들에게 붙잡히면 절대 연구소에 근무한다고 말하지 마세요. 자칫 목숨이 위태로울 수 있습니다.

빅토르가 걱정스러운 표정으로 주위를 둘러보는데 갑자기 누군가 달려와 그에게 안겼다. 소피아였다. 헐렁한 잠옷 차림에 신발도 신지 않은 채 그녀는 두려움에 떨면서 펑펑 울기 시작했다.

괜찮아 소피아. 이제 안심해도 되.

빅토르는 소피아에게, 마치 어린이를 달래듯이 토닥거렸다. 그는 소피아를 쳐다보면서 자신이 이 난리 통에도 그녀를 한 번도 걱정하지 않았다는 생각에 놀라움과 죄책감을 동시에 느꼈다.

내 꼴이 말이 아니지? 자다가 너무 놀라 그냥 뛰쳐나왔단 말이야. 바보같이. 신발도 안 신고. 심장이 하도 뛰어 죽는 줄 알았어. 정말이지. 내가 여기서 얼마나 무서운 줄 알아? 응? 자기야?

어디선가 서늘한 기운이 들어 왔다. 그녀의 얼굴은 온통 눈물 자국이었다. 빅토르는 그녀를 안고 있을 수밖에 없었다. 그녀는 당최 빅토르를 놔줄 생각이 없어 보였다. 하지만 그의 시선은 자꾸 나타샤에게로 갔다. 나타샤도 지금 상황에 어떻게 처신해야 할지를 모르는 눈치였다.

그렇게 그들은 소피아의 울음이 사그라들 때까지 기다렸다. 마침내 소피아에게서 떨어진 빅토르는 나타샤를 그녀에게 소개했다.

오늘 처음 출근한 신임 연구원 나타샤야.

나타샤가 소피아에게 악수를 청하였다. 소피아는 더러운 손을 옷에 한번 쓱 닦고는 악수에 청했다.

여기는 내 아내인 소피아.

어떡해요? 첫날부터 이런 일이 생겼으니?

소피아는 나타샤를 찬찬히 바라보며 말했다.

네, 저는 괜찮습니다. 사실 제 부모님이 더 걱정입니다. 왜냐하면 그곳에는 이미 1주 전부터 전투가 발생했거든요.

어디에 사시는가? 부모님은?

빅토르는 줄곧 가슴에 품었던 질문을 나타사에게 던졌다.

코린토스입니다.

이리나가 코린토스에 살다니….

빅토르는 갑자기 멍한 상태로 이리나를 가슴에 그려 나가기 시작했다. 그러다가 문득 다시 생각 난 듯이 나타샤에게 물었다.

다친 데는 없고? 그러니까 그…. 부모님은 다치지 않으셨고?

네, 무사하십니다. 그리고 국경 근처로 피난을 가려고 합니다. 무사할지 그게 걱정입니다. 어머님 혼자서….

어머니 혼자서? 왜? 아버지는?

아버지는 지난달에 정부군에 편입되셨습니다.

이리나가 혼자서 그 먼 길을 간다고? 이건 안 될 말이야. 누군가가 꼭 있어야 해. 내가 아니면 형이라도 있어야 하는데….

빅토르는 다시 멍하게 이리나의 걱정에 빠져들었다. 하지만 소피아가 그를 가만두지 않았다.

자기야! 나 무서워. 우리 더 안쪽으로 들어가자! 응?

빅토르는 어쩔 수 없이 소피아와 나타샤를 데리고 안쪽으로 들어갔다.

빅토르가 좀 더 안으로 들어가자 블라디미르가 그를 반겼다. 하지만 블라디미르는 다리를 절고 있었다. 안색도 창백하였다.

다리를 다쳤군요?

네, 하지만 대수롭지 않습니다.

어떡하다가?

개자식들이…. 글쎄 드론이 연구소를 빙 둘러싸고 무차별 총격을 가했습니다.

블라디미르는 분이 풀리지 않는지 벽을 손으로 쳤다.

그만하기 다행입니다. 소장님.

네, 천만다행으로 목숨은 건졌습니다. 하지만 다른 동료들의 안전이 걱정입니다.

드론 외에 다른 공격은 없었나요? 예를 들면 함포 사격이라든지….

네, 함정에서 포격은 없었습니다. 다만 상당수의 리시아 용병들이 상륙했습니다. 아마 연구소 직원들을 노리는 것 같습니다.

그럼 큰일이군요. 우리도 준비해야 할 것 같습니다.

이미 젊은 친구들을 시켰습니다. 여기 대피소에 비축해둔 무기 정도면 대응 사격은 가능할 겁니다.

잠시 후 여섯 명의 젊은 연구소 직원들이 소총 및 방탄조끼 등 무기와 보조 장비들을 가지고 나타나 남자들에게 나눠주기 시작했다. 빅토르도 소총과 권총 한 자루를 받았다. 그리고 헬멧과 방탄조끼를 입고 수류탄도 2개 받아 어깨에 달았다. 탄약도 한 줄 받아 어깨에 둘러멨다. 전투용 나이프는 허리에 둘렀다. 장비를 다 갖추고 나니 영락없는 군인이었다. 사실 설립 초기부터 이런 날을 대비하여 직원들은 군사 교육을 꾸준히 받았다.

연구소장의 지시에 따라 여자와 어린이, 노인과 부상자들은 대피소 안쪽으로 자리를 옮겼다. 소피아와 나타샤도 함께 안으로 들어갔다. 그리고 대피소 입구에 모래주머니를 쌓아 방어벽을 만들었다. 연락병과 정찰병을 선발하여 대피소 주위에서 적들의 동태를 파악하기 위해 그들을 밖으로 내보냈다.

빅토르는 방어벽 틈 사이에 AK-47 소총을 찔러 넣고는 전방을 주시했다. 대피소의 조명을 매우 어둡게 낮췄다. 그러자 대피소가 갑자기 조용해졌다. 침묵은 마치 무게를 가진 실체처럼 공간을 메우고, 어둠과 함께 그를 쓰다듬었다. 동료의 조용한 숨결만이 귀를 스치는 것을 느꼈다. 빅토르의 심장은 불규칙하게 뛰었다. 하지만 그의 머릿속은 만감이 교차했다. 이리나와의 사랑, 갈등, 헤어짐 그리고 우리의 딸 나타샤까지. 그 모든 서정시가 파노라마처럼 펼쳐지고 안개처럼 사라졌다.

시간은 느리게 흘렀다. 하지만 그런데도 적들을 마주하는 시간은 오고 말았다. 정찰을 나간 이들이 헐레벌떡 돌아왔다. 그들이 오자마자 폭발음이 들렸다. 빅토르는 어둠 속에서 하나둘 적의 모습을 간파했다. 그는 침착하게 방아쇠를 당겼다. 고막이 찢어지는 굉음이 대피소를 꽉 채웠다.

****

그레고리는 대피소 근처에서 폭발음과 화염이 솟아오르는 것을 지켜봤다. 그는 직감적으로 느꼈다. 내 동생 빅토르가 저곳에 있을 거라는 것을. 그는 살금살금 기어서 용병에게로 접근했다. 그들은 대피소에 집중적으로 사격을 가하고 있었다. 뒤에서 그레고리가 턱 밑까지 접근해도 알아차리지 못했다. 그레고리는 볼펜을 꺼내 손에 꽉 쥐었다. 그가 지금 가지고 있는 무기는 그것뿐이었다. 그는 용병 한 명 뒤로 가서 왼손으로 그의 입을 틀어막고 오른손으로 그의 목을 볼펜으로 힘껏 쑤셨다. 갑작스러운 공격에 녀석은 속수무책으로 쓰러져 피를 심하게 뿌리며 죽었다. 그레고리는 죽은 용병의 소총과 탄환을 챙겨 다른 용병들에게 무차별적으로 쐈다. 전혀 예상치 못했던 곳에서 공격받은 용병들은 하나둘씩 쓰러지기 시작했다. 동료들이 줄줄이 쓰러지는 것을 지켜본 나머지 용병들은 당황하여 급하게 뒤로 물러나 도망치기 시작했다.

바깥 사정이 이상하게 돌아간다는 느낌을 받은 빅토르는 동료들에게 사격 중지를 요청했다. 갑자기 또다시 침묵이 돌아왔다. 그리고 그 속에 누군가의 목소리가 들렸다.

거기 빅토르 흘라디 있나요? 빅토르 흘라디 있으면 대답하세요!

당신은 누군가요?

빅토르가 물었다.

저는 그레고리 흘라디입니다. 빅토르 형입니다.

빅토르는 어둠 속에서 형을 보았다.

거리를
비워두세요
남킹 음악 에세이

남킹 컬렉션 #020

남킹 컬렉션 #019

이방인

남킹 장편소설

시시포스 8

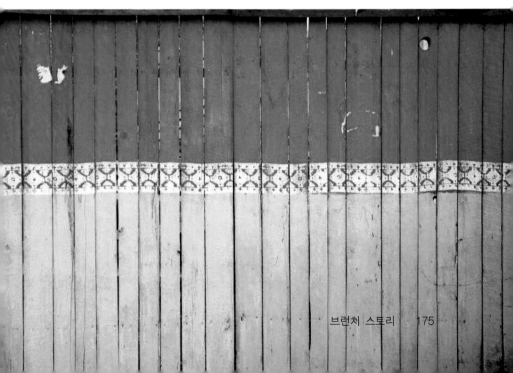

8부

세르게이 흘라디는 당황하지 않을 수 없었다. 그는 급히 총을 치우고 플래시를 이용하여 올리거를 쳐다봤다. 형이 맞았다. 그는 형을 부둥켜안고 물었다.

도대체 어떻게 된 거야? 왜 형이 여기 있는 거야?

너 세르게이 맞아?

그래, 맞아. 내가 세르게이야. 형.

두 형제는 격렬하게 끌어안았다. 하지만 재회의 감격은 소대장의 방해로 금방 끝이 났다.

세르게이 상사! 어떻게 된 거야? 누군데 끌어안고 있는 거야?

아, 네. 제 친형 올리거입니다.

형이라고?

네. 저도 모르는 사이에 제 고향에 왔습니다. 시시포스 말입니다.

음, 자네가 시시포스 출신이었구먼…. 근데 아르템이 왜 여기 나타난 거지? 그리고 그자는 어디 있는 거야?

아르템을 찾으러 왔다면 헛수고하셨습니다. 그자는 이미 1시간 전에 나갔습니다.

올리거는 눈물을 닦으며 천천히 답했다.

당신은 왜 반군 지도자를 만난 거요?

소대장이 날카로운 눈빛으로 올리거를 내려다봤다.

그가 느닷없이 찾아왔어요. 저는 전혀 모르는 사람입니다. 오늘 처음

봤습니다.

그가 왜 당신을 찾아왔나요?

돈 때문입니다. 제게 돈을 빌려 달라고 했습니다.

그래서 돈을 빌려줬나요?

아뇨. 제게는 돈이 거의 없습니다. 이 집도 최근에 샀고 자산 대부분은 재투자로….

그런데 왜 그는 당신이 돈이 있다고 생각했나요?

시시포스에서 가장 유명한 형제였습니다.

세르게이가 대신 답변했다. 소대장은 잠시 생각에 잠겼다. 그리고는 올리거에게 말했다.

일단 옷을 갈아입으시오. 동생 체면이 있으니 수갑은 채우지 않겠소. 하지만 조사는 받아야 합니다. 저희와 같이 가셔야겠습니다.

하지만 소대장님. 우리 형 올리거가 한 말이 모두 사실입니다. 왜냐하면 저희 형은 그동안 러시아 쪽 사람들과 사업을 했습니다. 반군의 적대 인물입니다.

세르게이 상사님, 무슨 말인지는 알겠습니다. 하지만 일단 반군 지도자를 만난 것은 사실이니까 심문을 안 할 수는 없습니다. 별일 없으면 몇 시간 내로 풀려날 것입니다. 그러니 형을 모시고 1층으로 내려오세요.

소대장은 안심하라는 듯이 고개를 몇 번 끄덕이고는 발길을 돌리면서 말했다.

아, 그리고 본의 아니게 경호원 몇 분을 사살해서 미안합니다. 부상한 분들은 신속히 병원으로 후송하겠습니다.

그리고 소대장은 주위를 한번 휘둘러보았다.

아름다운 집인데…. 미안합니다…. 많이 부서졌습니다….

소대장이 나가자마자 올리거는 잽싸게 책상 서랍을 열고는 아르템에게서 받은 서류를 세르게이에게 주었다. 그리고 속삭였다.

세르게이, 이거 너가 꼭 간직하고 아무에게도 보여주지 마라. 만약 정부군에게 넘어가면 우리 목숨뿐만 아니라 시시포스 시가 위태로워진다. 알겠지!

이게 뭔데?

시시포스 지하에 대량 파괴 무기가 보관되어 있어.

그럼, 아르템이 여기 온 것은 이것 때문이야?

그는 이 무기를 팔아 군사 자금으로 쓰려고 해. 내게 이것을 팔아 달라고 부탁한 거야. 만약 정부군이 이 사실을 알게 되면 이 땅은 쑥대밭이 될 거야. 시시포스 시 전체가 폐허가 될 거라고…. 알겠지. 무슨 말인지?

****

세르게이 흘라디는 마음이 편치 않았다. 그의 형 올리거가 이곳으로 끌려 온 지 벌써 일주일이 지났다. 하지만 여전히 당국은 형을 놓아 줄 기미를 보이지 않았다. 문제는 형이나 그를 심문하는 담당관을 만날 수조차도 없다는 거였다. 철저하게 일급 보안으로 가려졌다. 그는 자신이 초라한 위치에 있다는 사실이 견딜 수 없을 만큼 괴로웠다.

만약 니콜라이 형이나 올리거 형이 나의 입장이라면 무슨 수를 쓰더라도 해결하였을 텐데….

세르게이는, 그레고리가 호텔에서 투신한 여자 사건에 연루되었을 때 올리거가 보여준 헌신과 열정을 아직도 생생히 기억하고 있다. 올리거는 동생이 맞닥뜨린 거대한 힘에 맞서기 위해 시시포스의 거의 모든 관계자를 설득하고 다녔다. 설득이 안 되면 돈으로 매수하고 그것도 여의찮으면 협박까지 하였다. 그미로바 가문이 니콜라이를 제거하고 시시포스에 마약을 유통하려고 하였을 때도, 올리거는 레오를 찾아가 니콜라이를 감옥에 보내는 대신 그의 목숨만은 지킬 수 있도록 타협하였다. 이리나가 빅토르의 아이를 밴 채, 그레고리와 동거를 시작하였을 때도 올리거는 그레고리가 이리나와 빅토르의 관계를 절대 눈치채지 못하도록 모든 것을 숨겼다. 자칫 이 일로 인해 형제 관계가 틀어지는 것을 그는 원치 않았다. 올리거에게 형제애는 세상 무엇보다 바꿀 수 없는 귀한 존재였다.

＊＊＊＊＊＊＊＊＊＊＊＊＊

세르게이는 보름 만에 올리거를 만났다. 그동안 마음고생이 심했던 두 형제는 부쩍 야위어있었다. 면회 시간은 단 30분. 세르게이는 형을 볼 면목이 서지 않았다.

형, 미안해. 이럴 줄 알았으면 그때 형 집에서 소대장을 좀 더 설득하는 거였는데.

나는 괜찮아. 세르게이. 너무 걱정하지 마. 뚜렷한 혐의도 없는데 곧 풀려나겠지. 아무튼 내가 준 것만 잘 보관하고 있어.

알았어. 형. 그런데 왜 이렇게 붙잡아 두는 거지? 형에게 뭘 더 캐낼 게 있다고.

저들이 나를 설득하려고 해. 나를 미끼로 쓰려는 거지. 내가 아르템을 다시 만나기를 원하는 거야.

그래서? 그렇게 한다면 풀어준대?

나는 계속 버티고 있어. 나는 그를 전혀 모르고 아르템에게 연락할 방법조차 모른다고.

그럼? 계속 갇혀 지내야 되는 거야?

그건 모르겠어. 그건 너가 한번 알아봐. 상급 정보기관으로 이감된다는 소리를 얼핏 듣기는 들었어.

알았어. 형. 내가 최선을 다해 알아볼게. 아무튼 미안해.

괜찮아. 세르게이. 너는 내 동생이잖아.

올리거는 싱긋이 미소 지으며 세르게이를 쳐다봤다.

****

세르게이는 형의 이감 날짜를 알아냈다. 그는 형과 같은 방법을 썼다. 관계자들을 매수했다. 그리고 이감 장소도 밝혔다. 그곳은 정부군의 핵심 브레인 시설이 있는 곳으로 지도상에도 표시되지 않은 오지의 숲이었다. 하지만 세르게이는 그곳을 잘 알고 있었다. 그는 그곳에서 5년간 정보부장 보조병으로 근무했다. 말이 보조지 거의 운전병이었다.

세르게이가 수집한 정보에 의하면 정부군 관계자들은 올리거 형을 놔줄 생각이 없었다. 그들은 어떡하든지 간에 형을 반군에 엮어 반군 주요 인물들을 검거하는 데 혈안이 되어 있었다. 그러므로 세르게이에게는 더 이상의 선택지가 없었다. 형을 구출하여 시시포스로 돌아가는 것뿐이었다.

그는 지도를 펼쳐놓고 형을 태운 수송 트럭이 어떤 도로를 이용하여 이감 장소까지 가게 될지를 연구했다. 그는 그 수송차를 미행할 생각이다. 차량이 비교적 많은 고속도로와 국도, 지방도로에서는 비교적 손쉽게 따라잡을 수 있다. 문제는 숲으로 들어서면서부터였다. 그곳은 여러 개의 구불구불한 숲속 도로가 분화되고 다시 합쳐지는 모양새로, 이동하는 차량을 거의 볼 수 없는 한적한 곳이었다. 이런 곳에 수송차를 미행했다가는 곧바로 들킬 게 뻔했다. 그러므로 숲으로 들어서고 나서 주변 차량이 단둘뿐일 때 잽싸게 실행에 옮겨야만 했다. 그는 줄곧 머릿속으로 그날의 이동 경로와 구출 방법, 도주 경로를 그려 나갔다.

그는 야시장에 갔다. 그곳에서 가짜 차량번호판과 도색 장비, 수갑을 구매했다. 그리고 친분이 있는 수의사에게 부탁하여 마취제도 샀다. 아울러 그는 실탄도 넉넉하게 준비하고 형을 위한 방탄조끼도 확보했다. 모든 준비를 마쳤다. 이제 그는 그날이 될 때까지 그의 의지를 다지기만 하면 되었다.

****

마침내 앞서가던 수송차가 숲으로 들어섰다. 이를 지켜보던 세르게이의 마음은 걱정으로 뒤틀렸다. 그는 차창의 문을 열었다. 마음 한 구석에 감춰져 있던 두려움과 불확실성이 불어오는 바람과 함께 휘몰아쳐서, 세르게이의 내면은 격동에 휩싸였다. 세르게이는 이 고통과 맞서야 했다. 숲의 어둠 속에 형의 얼굴이 떠올랐다. 그 모습은 자신과 어린 시절, 서로를 지키고 더불어 웃던 시간을 회상케 했다. 그때의 순수한 기억들은 그의 의지에 힘을 실어주었다.

세르게이는 어금니를 꽉 깨물었다. 형을 위해서라면, 죽을 수도 있다고 다짐했다. 그리고 지금까지의 모든 경험과 준비가 그를 이끌어줄 것이라 믿었다. 수송차는 더욱 깊은 숲으로 들어서고 있었다. 세르게이는 백미러를 지켜봤다. 그는 뒤따라오는 차량이 없다는 것을 확신하고 액셀러레이터를 꾹 밟았다.

세르게이의 차가 수송차를 급하게 앞질렀다. 그리고 그 순간, 그는 차의 핸들을 우측으로 살짝 돌리며 브레이크를 밟았다. 차가 비명을 지르며 미끄러지다 덜컥거리며 멈췄다. 뒤따라오던 수송차는 클랙슨을 크게 울리며 급정거를 했다. 세르게이는 잽싸게 차에서 내려 수송차 운전대에 뛰어올랐다. 그리고 총구를 운전사에게 겨눴다.

꼼짝하지 마! 허튼수작하면 네 대가리를 날릴 거야! 알겠지!

운전사와 조수석에 탄 병사 두 명은 놀란 얼굴로 두 손을 번쩍 들었다. 세르게이는 천천히 차 문을 열고 운전사를 차에서 내리게 했다.

제발 쏘지 마시오!

운전사는 거의 울상이 되어 세르게이에게 매달렸다.

지금부터 잘 들어! 모든 휴대폰과 무기를 내 앞으로 던져라! 그리고 조수석에 있는 너는 내려서 뒷문을 열어라! 허튼짓하지 마! 내 말대로만 하면 돼! 그럼 죽이지 않을 거니까!

병사들은 무기와 휴대폰을 모두 내려놓고 발로 툭 하고 그것들을 찼다. 세르게이는 운전사의 얼굴에 총구를 들이댄 채 천천히 뒷문으로 갔다.

천천히 문을 열어라!

병사는 덜덜 떨리는 손으로 문을 열었다. 세르게이는 혹시 모를 총격에 대비하여 문에 바싹 붙은 상태로 안을 들여다봤다. 형이 흐릿하게 보였다.

너는 들어가서 저 수감자의 수갑을 풀어라! 어서!

병사가 들어가더니 이윽고 형이 초췌한 모습으로 나왔다. 세르게이는 형을 보자마자 집게손가락을 펴서 입에 대었다. 올리거는 동생의 뜻을 금방 알아차리고 짐짓 모르는 사람처럼 멀뚱멀뚱 섰다. 세르게이는 병사와 운전자에게 수갑을 던졌다.

수갑을 차라! 그리고 차 안으로 모두 들어가라!

그들이 수갑을 차고 모두 차에 들어가자 세르게이는 준비한 최면제를 차에 밀어 넣고는 뒷문을 잠갔다. 그리고 형에게 외쳤다.

형! 서둘러야 해! 가자!

올리거가 차에 올라타자 세르게이는 가짜 차량번호판을 떼고 진짜 번호판으로 바꾸었다. 그리고 서둘러 차에 오른 뒤 빠른 속도로 달리기 시작했다. 숲속을 곧 벗어났다. 차는 얼마 뒤 고속도로에 접어들었다. 그때 한 무더기의 경찰차와 군용 차량이 반대 방향으로 지나가는 것을 세르게이는 목격했다. 올리거가 세르게이를 보면서 물었다.

어디로 가는 거냐? 세르게이.

집으로요. 형. 시시포스로 갑니다. 이젠 두 번 다시 시시포스를 떠나지 않을 겁니다. 형.

올리거가 싱긋이 웃으며 세르게이를 쳐다봤다.

****

니콜라이 흘라디는 입을 딱 벌렸다. 레오가 집에 숨겨 둔 돈과 금괴가 어마어마한 양이었다.

이거 아무래도 트럭이 더 필요할 거 같은데요?

니콜라이는 코믹한 표정으로 아르템을 처다봤다. 아르템도 함박웃음을 감출 수 없었다.

그러게요. 트럭이 찌부러지지 않도록 잘 실어야겠습니다.

아르템도 니콜라이를 바라보며 맞장구를 쳤다. 그때 정보 장교가 아르템에게 다가왔다.

사령관님! 러시아 용병이 시시포스에 상륙했다는 보고입니다.

규모는?

30척의 함정과 5,000의 병력으로 추정됩니다. 문제는 수만 대의 공격용 드론을 포함하고 있습니다.

아르템의 표정이 삽시간에 굳어졌다. 아르템은 니콜라이를 돌아보며 말했다.

저들의 본 모습이 드디어 드러났군요. 시시포스는 우리가 꼭 지켜야합니다. 갑시다! 작전실로.

저는 곧바로 시시포스로 가겠습니다. 사령관님.

니콜라이는 결연한 표정으로 아르템을 바라봤다.

그냥 맨몸으로 가겠다는 겁니까? 지금 시시포스에 가면 개죽음 당하기 십상입니다. 저희와 같이 가시죠.

아닙니다. 사령관님. 이미 제 동생 올리거와 세르게이가 1년 전부터 방어 준비를 하고 있었습니다. 시시포스는 반드시 저희 형제들이 지킬 겁니다. 그러니 허락해주십시오.

세르게이까지?

네, 막내가 돌아왔습니다.

****

올리거는 지하에 있는 고가의 군사 장비를 제삼 세계에 팔아 마련한 자금으로 민병대를 모집했다. 민병대는 모집 3개월 만에 천 명이 넘었다. 거기에 해외 용병들을 적극적으로 모집했다. 그는 자신의 저택을 지휘소 및 중앙 통제실로 개조하여 작전 계획, 지휘, 통제를 수행할 수 있게 만들었다. 그리고 작전 참모를 모집해 작전 개시, 투입, 이동, 평가 등을 시행했다.

니콜라이 형 집은 위기 대응센터와 통신센터로 꾸몄다. 이곳은 세르게이가 주축이 되어 실시간 정보 수집, 분석, 평가 및 응급 대응 계획 수립, 자원 조정 등을 수행할 수 있게 다양한 정보 소스를 모니터링하고 해석하여 상황 인식과 결정에 활용할 수 있도록 하였다. 그리고 지하에는 사이버 작전실을 두어 사이버 위협에 대응하기 위한 전문인력과 시스템을 구축했다.

민병대는 우선, 시시포스 주요 도로에 경비원을 배치하고 CCTV 카메라와 모션 감지 시스템 등을 설치하여 침입 시도를 탐지하고 예방할 수 있게 하였다. 그리고 교전이 예상되는 도심에 경계벽과 참호를 팠다. 이외에도 방벽, 울타리, 장애물 등을 설치하여 적의 일차 침입을 방지할 수 있도록 하였다. 그리고 인근에는 신속 대응 부대를 배치했다.

시시포스 주민들을 위해 지하 무기 저장고 일부를 비우고 그곳에 비상 대피 시설을 구축했다. 그 외에도 공공건물, 지하실, 지하 터널, 대형 복도 등에 대피소를 마련하고 식량과 무기를 배치했다. 또한 적의 침입 시도에 대한 정보를 신속하게 전달하고 대응할 수 있도록 무선 통신망, 응급 통신 시스템, 방송 시설 등을 마련했다. 그리고 위기 상황에 대하여 주민들과 시설 관리자들에게 교육하고 응급 의료 훈련을 각 병원에 요청했다.

올리거는 또한, 공격용 드론을 식별하고 탐지하기 위한 전문 시스템을 구축하여, 레이더, 적외선 감지, 무선 주파수 분석 등을 사용하여 드론의 존재를 감지하고 식별할 수 있게 하였다. 전파 교란 장비나 드론의 GPS 신호를 방해하는 장치 등도 곳곳에 설치했다. 그리고 주요 군사시설에는 강화유리, 철강 망, 네트 등으로 드론의 침입을 방지하거나 저지할 수 있도록 하였다. 또한, 드론을 탐지하고 추적하기 위한 CCTV 카메라, 열 감지 카메라, 움직임 감지 센서 등을 설치하여 드론의 침입을 빠르게 감지하고 대응할 수 있도록 하였다. 아울러 드론의 통신, GPS, 제어 시스템 등을 방해하여 드론을 착륙시키거나 조종을 제한하는 방법도 추가하였다.

그리고 무엇보다 세르게이는 군사 훈련에 힘을 쏟았다. 그는 특수 부대 출신답게 고도로 전문화된 전투 기술과 전술을 익히는 훈련을 시행했다. 이는 근접전, 사격, 폭발물 사용, 저격 등 다양한 전투 기술과 기습 작전 훈련, 게릴라 훈련과 특수 장비와 기술을 사용하는 데 필요한 훈련, 드론 조종, 특수 차량 운용 등에 대한 훈련, 정보 수집 및 인텔리전스 활동을 위한 훈련, 정찰, 감시, 정보 분석, 통신 기밀 유지 등에 대한 훈련을 포함하였다.

****

니콜라이는 시시포스 외곽에 마침내 도착하였다. 하지만 시로 진입

하는 도로가 모두 차단되어 있었다. 고요한 달빛이 흐리게 밤을 밝혔다. 그는 차에서 내려 바닷가 쪽으로 뻗은 시의 중심부를 바라봤다. 시내 곳곳에서 연기가 피어올랐다. 마치 파괴의 연주가 고요한 밤하늘에 울려 퍼지는 듯했다. 그는 길게 한숨을 쉬며 걷기 시작했다. 좁고 비탈진 언덕길을 따라 시내 중심가로 내려갔다.

발의 통증이 느껴질 때쯤 그는 항구로 이어진 길로 접어들었다. 군데군데 폭격의 흔적이 나타났다. 번잡하던 거리는 이제 파괴의 흔적으로 점점 지워져 가고 있었다. 그는 비틀거리는 발걸음으로 파괴된 건물들 사이로 발걸음을 옮겼다. 시린 바람은 그의 머리카락을 쓸어 올리며 상처 입은 도시를 애도하듯 구슬프게 울었다. 어둠 속에서 니콜라이의 마음은 고통과 절망으로 채워졌다. 침략의 손길이 자신의 도시를 집어삼켰다. 니콜라이는 무력하다고 느꼈다. 그리고 그의 마음속에는 그리운 이 땅의 기억과 사랑한 이들의 모습이 번뜩이며 흩어져갔다.

안나는 지금 어디에 있는가? 내 아들딸은 지금 무엇을 하고 있는가? 내 동생들은 다들 무사한가?

니콜라이가 막 시내로 접어드는 코너를 돌려고 하는데 일련의 총소리가 울려 퍼졌다. 뒤이어 폭격 소리도 들렸다. 그는 황급히 몸을 무너진 빌딩 잔해 옆으로 숨겼다. 그리고 찬찬히 얼굴을 들어 올려 사방을 주시했다. 민간인으로 보이는 몇몇이 몸에 탄약을 잔뜩 두르고는 황급히 물러났다. 그 사이 건너편 어둠 속에서 총구의 불꽃이 번쩍였다. 시가전을 벌이는 게 틀림없었다. 니콜라이는 지금 자신이 어떻게 행동하여야 할지 감이 서지 않았다.

도대체 누가 적이고 누가 아군인 거야?

그는 이러지도 저러지도 못하는 상태로 어정쩡하게 몸을 숨기고만 있었다. 하지만 총격은 더욱 거세지고 가까워지고 있었다.

젠장, 이거 낭패구먼. 고향 땅을 밟자마자 죽게 생겼네.

니콜라이는 난감함으로 고개를 숙인 채 온몸의 촉각을 곤두세우고 있었다. 바로 그때 누군가가 그에게 급하게 다가왔다. 그리고 속삭였다.

여기서 뭐 하는 게요? 빨리 피하지 않고?

니콜라이가 고개를 돌려 보니 낯이 많이 익은 녀석이었다. 하지만 그가 먼저 니콜라이를 알아봤다.

아니, 이거 니콜라이 형님이 아닙니까?

어 그 그래. 자네는?

네, 저는 이반입니다. 세르게이 친구 이반입니다. 형님. 반갑습니다.

그래, 반갑다. 이반. 내 동생 세르게이는 잘 있는가?

잘 있다마다요. 잠시만요. 조금 전에 내 뒤에 있었는데….

이반은 주위를 두리번거리며 세르게이를 찾기 시작했다. 그사이 총격은 계속해서 이어졌다.

세르게이가 여기 있단 말인가?

네, 아 저기 있습니다. 세르게이! 세르게이!

이반은 큰소리로 외쳤다. 세르게이가 마침내 소리 나는 쪽으로 고개를 돌렸다. 그러자 이반이 자신에게 오라고 손짓했다. 하지만 세르게이는 잔뜩 인상을 쓰며 외쳤다.

이반! 이 바보야! 사격에 집중해! 적이 바로 코앞이야!

니콜라이는 고개를 들고 세르게이를 바라봤다. 그리고 울컥하고 가슴이 찡하게 저렸다.

남킹 판타지 소설 집

하니은 매화

남킹 컬렉션 #015

남킹 컬렉션 #012

남킹의 문장

언어의 마법사 남킹의 문장들

시시포스 9

9부

빅토르 흘라디는 눈 앞에 펼쳐진 광경을 믿을 수 없었다. 전혀 생각지도 않은 그레고리 형이 그의 앞에 나타난 것이다. 그것도 이 조그마한 섬에, 일촉즉발의 위험한 순간에 말이다.

형! 정말 형이야? 도대체 이게 어떻게 된 거야?

빅토르는 무장을 풀고 한 발짝 한 발짝 그레고리에게 다가갔다.

무척 오래간만이구나! 빅토르. 형이다! 너를 찾았어!

그레고리의 소리는 어둠 속에 빛이 났다. 그레고리도 조심스레 대피소 입구로 다가갔다. 혹시나 용병 잔당들이 숨어 있지나 않을까 싶어 그는 계속해서 주변을 살폈다. 파도 소리가 메아리쳤다.

형이 맞지? 날 알아보는 거지?

그의 동생의 모습은 그를 극도의 감동으로 채웠다. 그레고리는 눈물을 참으며 고개를 끄덕였다. 두 사람은 꼭 껴안았다.

형이 여기까지 찾아올 줄은 정말 몰랐어.

눈빛에는 서로를 알아보는 기쁨과 그리움이 담겨 있었다. 빅토르는 조용히 말없이 그레고리를 바라보았다. 시간이 흐르면서, 그의 모습은 피할 수 없는 변화를 겪었다. 하지만 그의 투명한 푸른 눈은 여전히 아름다웠다. 그레고리도 빅토르를 마치 스캔하듯 찬찬히 훑었다. 그레고리는 그의 얼굴에 낯선 그림자와 시련의 흔적을 느꼈다. 하지만 그의 눈동자에는 여전히 어릴 적 보아왔던 그 불꽃이 녹아 있었다. 둘은 서로를 쳐다보며 어떤 말도 필요하지 않았다. 그들의 연결은 고요한 밤의 공명처럼 은밀하게 전달되었다. 그레고리의 심장은 압도되는 감정에 진동하며, 시련의 시대를 뚫고 이 아름다운 순간을 위해 힘을 내고 있었다. 서로의 손을 더듬으며 그들은 옛날의 기억과 사랑, 형제로서의 연결을 느꼈다.

그러다 문득 빅토르는 나타샤를 떠올렸다.

형, 나타샤가 여기에 와 있어.

나타샤? 내 딸이?

그래, 형 딸 말이야.

아니, 어떻게 나타샤가? 여전히 청소년일 텐데?

웬걸? 이미 박사학위까지 받았어. 여기 연구원으로 왔어. 나타샤는 컴퓨터 천재야! 형은 자부심을 느껴도 좋아!

빅토르는 그레고리의 손을 잡고 서둘러 대피소로 들어갔다. 빅토르의 조급한 마음과는 달리 그레고리의 마음은 어지러움과 혼란으로 뒤흔들리며 불안한 기대가 솟구쳤다. 그레고리는 15년 전, 아이의 엷은 미소와 희망을 끊어 버린 후, 애써 딸 나타샤의 존재를 외면하고 있었다. 깊은 어둠이 그레고리의 마음을 채웠다. 하지만 피할 수 없는 운명의 손길이 바로 여기, 전혀 예상치도 못한 공간에 서렸다.

나타샤를 여기서 보다니! 나를 알아는 볼까?

그레고리의 숨이 점점 그녀에게 다가갈수록 저려 들었다. 마침내 빅토르는 한쪽 구석에 지친 모습으로 앉아 있는 소피아와 나타샤를 발견했다.

나타샤! 나타샤!

빅토르는 마치 어린이처럼 두 손을 휘저으며 그녀를 불렀다. 나타샤와 소피아가 동시에 빅토르를 쳐다보며 미소를 지었다.

다친 데 없어? 자기야!

소피아가 잽싸게 달려와 빅토르에게 안겼다. 그 뒤에 선 나타샤는 부러운 표정으로 두 사람의 포옹을 지켜봤다.

소피아, 잠시만. 잠시만. 나타샤에게 굉장한 소식이 있어. 미안해.

빅토르는 소피아를 억지로 떼어 내고는 나타샤와 뒤따라온 그레고리를 번갈아 쳐다봤다.

나타샤. 아버지야. 그레고리 흘라디. 너의 생부.

아버지?

나타샤는 얼떨떨한 표정으로 그레고리를 바라봤다. 그레고리는 잠시 고개를 숙인 채 감정을 추스르고는 천천히 나타샤를 쳐다봤다. 그의 눈동자는 심하게 동요하였다. 오늘 하루, 그는 마치 꿈과 현실의 경계에 선 듯하였다. 거기에는 오래전 헤어진 어린아이의 성장한 모습이 고요하게 서 있었다. 나타샤였다. 그레고리의 눈에 뵈진 나타샤는 눈부시게 아름다웠다.

나타샤?

그레고리는 겨우 말문을 텄다. 나타샤의 눈이 불꽃처럼 반짝였다. 그녀의 입가엔 미소가 스며들었다. 자라면서 숱하게 본 아버지의 사진. 바로 그 모습이었다.

아빠? 정말 아빠야?

아버지와 딸은 서로를 껴안았다. 그들의 포옹은 삭막한 공간을 가득 채워주고, 오랫동안 잃어버린 순간들을 재조합하였다. 그녀의 눈 속에는 헤어진 아버지를 알아보는 기쁨과 깊은 그리움 그리고 원망이 담겨 있었다. 따뜻한 조명이 그레고리와 나타샤를 감싸며, 시간이 정지된 듯한 순간이 흘러갔다. 이 재회의 순간은 새로운 시작이자 잃어버린 유대의 발견이었다. 그레고리는 눈물을 감추기 힘들게 웃음을 터뜨렸다. 그는 사라져버린 그의 시간 동안 그리운 딸의 소중한 존재가 그의 삶에 다시 돌아온 것을 느꼈다. 이 순간, 그레고리는 딸의 손을 잡으며 다짐했다. 이제는 절대로 떠나지 않을 것을.

15년이란 세월은 긴 여정이었고, 그는 자신의 과거와 떨어진 채로 살아왔다. 그러나 그림자처럼 자꾸만 쫓아오는 아픈 기억들이 있었다. 그 기억들은 이리나에 대한 그리움으로 가득 차 있었다. 그녀와 함께한 행복한 순간은 찰나였고 이후의 헤어짐과 아픔은 마치 험한 파도로 물든 상처 같았다.

****

그레고리와 빅토르는 동시에 눈을 떴다. 굳게 닫힌 대피소 철문이 화염에 휩싸이며 부서졌다. 그 속으로 총알이 빗발치듯 쏟아졌다. 러시아 용병들이 다시 침공했다. 그레고리와 빅토르는 침착하게 방어벽 뒤에 몸을 숨긴 채 적들을 향해 총을 발사했다. 날은 이미 밝았다. 몇 대의 드론이 좁은 대피소 문으로 들어오려다 그레고리가 쏜 총에 맞고 속절없이 부서졌다. 그레고리는 그의 첩보 기관에서 손에 꼽는 명사수로 유명했다. 그가 노리고 쏜 총알에 어김없이 적들이 쓰러졌다. 한동안 소강상태가 계속 이어졌다.

그러다 어느 순간 적들의 공격이 딱 멈추었다. 빅토르는 망원경으로 그들을 주시했다. 그들이 빠른 속도로 후퇴하는 것을 목격했다.

형! 적들이 후퇴하고 있어!

그의 말을 들은 일부 동료들이 환호성을 질렀다. 하지만 그레고리는 얼굴이 무거웠다. 그는 빅토르를 보며 외쳤다.

여기서 나가야 해! 함포 사격이 곧 시작될 거야! 그래서 저들이 급히 사라진 거야! 최대한 빨리 가야 해!

그레고리의 외침과 함께 대피소에 있던 사람들이 서둘러 빠져나오기 시작했다. 그레고리는 그들을 향해 더 큰 소리로 외쳤다.

빨리빨리 나오세요. 건물로 가지 마세요. 위험합니다. 숲이나 해안가로 가세요! 서둘러야 합니다. 빨리빨리!

대피소 사람들이 거의 다 빠져나갔을 때쯤, 그레고리와 빅토르는 소피아와 나타샤를 만나 같이 뛰기 시작했다.

형! 어디로 가는 거야?

해안으로! 내가 타고 온 보트가 있어! 이 섬을 빠져나가야 해!

4명의 일행은 일렬로 좁은 길을 따라 바다로 향했다. 그레고리가 맨 앞에 빅토르가 맨 뒤에서 뛰었다. 곧이어 쉭 하는 날카로운 공기음과 함께 굉음이 땅을 뒤흔들었다. 나타샤와 소피아가 비틀거리며 주저앉았다. 그레고리는 뒤로 돌아보며 나타샤의 손을 굳게 잡았다. 빅토르는 소피아를 일으켜 세운 뒤 그녀의 손을 잡고 외쳤다.

소피아! 서둘러야 해! 빨리!

소피아는 패닉 상태에 빠진 듯 울부짖으며 빅토르에게 매달렸다. 하늘과 땅에 우두둑 터지는 울림과 진동이 계속되었다. 강력한 포탄이 끝없이 하늘을 가르며 목표를 향해 비수 같은 비명을 내뿜었다. 그레고리가 급하게 뒤돌아보니 대피소가 활활 타오르고 있었다. 섬 곳곳에서 높이 솟은 연기가 하늘을 가득 메웠다. 광기 어린 포격이었다. 건물과 집들은 갑자기 불타오르며 불길이 하늘에 걸리는 절망적인 장면이 펼쳐졌다.

더 빨리! 더 빨리 뛰어야 해!

그레고리는 크게 외쳤지만, 진동으로 인간의 소리는 의미 없이 사라졌다.

갑자기 그들의 전방에 있던 빌딩 단지가 휩쓸린 폭발음과 함께 깨진 조각들이 공중으로 튀어 올랐다. 그리고 그 편린들은, 마치 악마의 목소리처럼 검은 연기를 달고 그들 주위로 떨어졌다. 함포 사격의 끝없는 포화는 끔찍한 파괴의 연기를 섬 전체에 퍼뜨리며, 모든 것이 어둠과 혼돈에 뒤덮이게 했다. 사람들은 자기 생존 본능을 따라 제지할 수 없는 몸부림치며 도망치고, 목숨의 불안이 하늘에 비치는 대공포 사격과 함께 그들의 마음을 절망 속으로 가두었다.

****

해안에 도착한 그레고리 일행은 쓰러질 듯 주저앉았다. 하지만 그레고리는 다시 벌떡 일어나 자신이 타고 온 보트를 찾기 시작했다. 빅토르가 그를 뒤따랐다. 다행히 그들이 찾는 보트는 손상되지 않은 채, 해안 절벽이 시작하는 곳에 매달려 있었다. 그레고리와 빅토르는 함께 끙끙거리며 보트를 물가로 다시 옮겼다. 그리고 연료 게이지를 살폈다. 연료가 충분하지 않았다. 그레고리의 얼굴에 낭패감이 떠올랐다.

연료를 어디서 구하지? 빅토르.

빅토르는 잠시 생각하다가 그레고리에게 한가지 아이디어를 제안했다.

연구소장의 집이 이 근처에 있어요. 그리고 그의 집에는 여러 대의 배가 있어요.

그래, 그럼 우선 그곳으로 가자.

그런데 파도가 심상치 않았다. 게다가 작은 고무보트에 4명이 탑승하니 배가 거친 신음을 내며 속도를 당최 내지를 못했다. 작고 불안한 보트. 그리고 피할 수 없는 불안과 위협이 하늘에 있었다.

젠장, 이러다 드론에게 발각되면 끝장인데….

하지만 어쩔 수 없었다. 그저 바다의 품에 맡길 수밖에는. 일렁이는 파도에 어선이 크게 흔들리자 소피아는 벌써 구토를 하기 시작했다. 나타샤가 그녀를 감싸며 등을 도닥거렸다. 하늘은 무자비하게 흐림과 강한 바람을 뱉었다. 나타샤도 괴로운 듯 비스듬히 드러누웠다. 고무보트는 파도와 부딪히는 물결을 용감하게 거스르며 꾸역꾸역 전진했다. 그렇게 한참을 갔다. 마침내 빅토르가 외쳤다.

형! 저기 저기를 봐. 저곳이야! 저기가 연구소장 집이야.

태양의 흐릿한 빛이 광활한 해안선을 비추었다. 경치 좋은 바닷가에 희고 큰 저택이 우뚝 솟아 있었다. 하얀 석조로 올려진 이 건물은 바다와 하나가 되어 잠시나마 우아한 동화를 펼치고 있었다. 그것은 바다의 순수함을 노래하듯 고요한 곳에 자리하며, 그 앞에는 하얀색 요트와 작은 보트들이 주인을 기다리는 듯이 정박해있었다. 하지만 그 순간, 드론의 그림자가 하늘에 어지럽게 그려졌다.

젠장, 얼마 남지 않았는데!

그레고리가 장비함에서 구명조끼 2벌과 밧줄을 꺼내며 외쳤다.

소피아와 나타샤는 구명조끼를 입어! 그리고 두 사람 일조로 줄을 묶어! 서둘러! 내가 신호를 보내면 바다로 뛰어들어! 알겠지. 드론이 공격하기 전에 바다에 뛰어들어야 해!

바람이 동반한 파도는 보트를 집어삼킬 듯 흔들었다. 거센 바람은 드론에게도 악재였다. 손쉽게 보트 가까이 접근하지는 못하였다. 네 명의 탑승객 마음은 긴장에 물든 숨결로 불어, 두려움과 결의의 감정을 마구 쏟아 냈다. 하늘은 우둔한 어둠에 휩싸여 있고, 공격용 드론은 어느 순간이나 그들을 위협할 수 있는 위협적인 그림자로 공중에서 맴돌고 있었다. 하지만 그들은 손을 잡고, 서로의 눈빛을 바라보며, 심장의 고동과 함께 한 몸처럼 바다를 헤쳐 나갔다.

보트가 거의 해변에 다다랐을 때쯤, 드론 한 대가 심하게 흔들거리며 보트로 접근했다. 그리고 총을 연속으로 발사했다. 총알은 가까스로 보트 옆으로 일직선을 그리며 지나갔다. 그때 그레고리가 외쳤다. 바다로 뛰어들어!

빅토르와 소피아가 먼저 뛰어들었다. 뒤이어 그레고리와 나타샤가 뛰어들었다. 해변까지는 불과 300m도 남지 않은 상황. 그들은 죽을 힘을 다해 헤엄쳤다. 뒤이어 보트는 화염에 휩싸이며 물속으로 사라졌다. 드론은 몇 차례 더 총알을 퍼붓더니 서서히 물러났다.

그레고리와 나타샤가 먼저 해안에 도착했다. 그들은 손가락질하나 움직일 힘조차 남아있지 않았다. 하지만 그레고리는 무거운 몸을 일으켜 빅토르 일행을 찾았다. 다행히 가까이에 빅토르가 보였다. 그는 나타샤와 연결한 밧줄을 풀고 다시 바다로 뛰어들었다. 파도와 바람에 맞서 힘들게 헤엄치며 빅토르에게 접근해 보니 줄에 묶인 소피아가 심상치 않았다. 그녀 주변이 붉게 물들었다. 그레고리는 급히 그녀의 코와 목을 살폈다. 이미 숨을 거둔 상태였다. 그레고리는 빅토르를 쳐다보며 고개를 저었다. 물에서 거친 호흡을 하던 빅토르는 그 뜻을 알았다. 그레고리는 빅토르에게 다가가 말했다.

빅토르! 이제 놔 줘야 해! 무슨 뜻인지 알지? 슬프지만 어쩔 수 없어! 산 사람은 살아야 해!

빅토르의 눈가가 금세 붉어졌다. 그리고 천천히 고개를 끄덕였다. 그레고리는 소피아에게 연결되었던 줄을 풀었다. 그리고 그녀의 구명조끼를 벗겼다. 그녀는 일렁이는 파도를 타며 서서히 바다로 멀어져 갔다. 그렇게 빅토르와 그레고리는 한동안 물속에서 그녀를 지켜봤다. 하늘에는 여전히 드론의 엔진 소리가 울려 퍼졌다. 형제는 구명조끼의 한쪽을 잡고 해안으로 마지막 힘을 다해 헤엄쳤다.

＊＊＊＊＊＊＊＊＊＊＊＊＊

그레고리 일행은 날이 저물 때까지 연구소장의 집에 머물렀다. 집은 비어 있었다. 빅토르는 소장의 집을 샅샅이 뒤져 보트 시동 키를 찾았다. 그리고 지도를 펼쳐놓고 그들이 피신해야 할 곳을 찾았다.

우리는 불가리아로 가야 해! 그곳에 우리 첩보 기관이 운영하는 안전 가옥이 있어. 전쟁이 끝날 때까지 그곳에 머물러야 해!

그레고리는 지도에서 불가리아의 한 해변 도시를 손으로 가리키며 말했다. 뜸하지만 여전히 포격 소리와 드론 소리가 하늘을 채우고 있었다. 빅토르는 서서히 저무는 창밖의 세상을 멍하니 쳐다보며 마음의 끝자락까지 어둠이 스며들어오는 것을 느낄 수 있었다. 소피아와의 헤어짐, 마지막 숨결을 함께한 아픈 순간들이 그의 망상 속에 번뜩이며 두려움과 슬픔으로 채워져 갔다. 빅토르는 소피아의 모습을 회상하며, 그녀가 떠나간 그 바다에서 자신도 함께 죽음을 맞이하고 싶다는 생각이 스쳐 지나갔다.

시간은 여기에 멈춘 듯했다. 그 순간, 소피아의 영혼이 그의 눈앞에 서 있는 것 같았다. 아름답게 빛나던 그녀의 눈에는 그 어느 때보다도 깊은 아픔이 투영되어 있었다. 빅토르는 자기 손을 뻗어 소피아의 그림자를 만지작거리며, 그녀와 함께한 행복한 순간들이 그의 기억 속에서 흩어지는 듯한 느낌이 들었다. 그 사랑스러운 향기, 그리고 그녀의 미소와 함께 흐르던 달콤한 대화는 이제는 깊은 바다에 묻혀 버렸다. 그때는 그저 평범한 일상이었지만, 그립고 아프게 되는 이 순간에야 비로소 그는 그 의미를 알게 되었다. 그리고 그 기억이 그를 얼어붙은 듯한 고통으로 괴롭히는 동시에, 사랑이라는 불가사의한 감정의 무게를 다시금 느낄 수 있게 했다. 빅토르는 그녀와 함께한 순간들이 자신의 인생에 남긴 깊은 흔적을 영원토록 기억하려고 다짐했다.

자, 이제 우리 떠나야 해.

그레고리는 빅토르와 나타샤를 번갈아 쳐다보며 속삭였다. 이미 세상은 어두웠다. 그들은 각자의 짐을 짊어지고 조용히 집을 나섰다. 파도 소리가 점점 다가왔다. 바람은 줄었고 섬을 갈가리 찢던 폭음도 사라졌다. 그저 선착장에 묶인 배들의 꺼덕거리는 소리만 들려왔다. 빅토르는 연구소장의 배를 금방 찾았다. 스피드광이었던 소장은 종종 빅토르 부부를 배에 초청하여 무척 빠르게 보트를 몰았는데 함께 탄 빅토르에게는 솔직히 죽을 맛이었다. 하지만 소피아가 무척 좋아했다.

그레고리는 내비게이션에 목적지를 입력했다. 그리고 보트의 조명을 모두 끈 채, 천천히 보트를 몰았다. 어둠 속에서 보트는 조용히 미끄러지듯이, 고요한 파도 위를 헤엄쳐 나아갔다.

형은 언제 보트 운전을 배운 거야?

이것도 스파이 교육의 일종이지.

＊＊＊＊＊＊＊＊＊＊＊＊＊

세상은 침묵의 완벽한 심연을 감싸 안으며, 마치 허공에 흘러가는 시간의 흐름을 멈추고 있는 듯했다. 세 사람은 서로의 숨결마저 간직하고 있는 것처럼, 바라보며 깊은 연대감을 나누었다. 그들을 하나로 이어주는 마법의 인연이 느껴졌다. 하늘에 달이 높이 떠 있는 어둠 속 바다 위에서, 물결이 부드럽게 빛나는 별들을 따라 조용히 보트를 몰던 그레고리는 마침내 해안가의 불빛을 발견했다. 빛은 조용하고도 강렬하게, 어딘가 숨겨진 보물 같이 떠오르며 그의 심장을 설레게 했다.

빅토르, 나타샤! 저기를 봐!

그들이 동시에 쳐다본 곳. 저 멀리, 해안가의 불빛이 점점 커져 왔다. 그 빛은 어둠에 포개진 가는 길을 밝혀주며, 이제는 그들이 가야 할 목적지가 다가온다는 것을 알려주었다. 나타샤의 머리카락은 바람에 휘날려, 그녀의 얼굴은 별빛과 함께 맑고 아름다워 보였다. 하지만 그레고리는 자신이 해야 할 일을 알고 있었다. 그레고리는 빅토르에게 가까이 오라고 손짓했다. 그리고 속삭였다.

빅토르, 나는 이리나를 찾을 생각이야. 그녀를 나타샤가 있는 곳으로 무사히 데려올 생각이야.

그래. 형. 형만 믿겠어. 꼭 이리나를 데려오기 바래.

****

그레고리는 현금을 모두 인출하고 차를 점검했다. 노트북에 구글 맵을 펼쳐놓고, 그가 가야 할 길을 유심히 살폈다. 국경까지 900km. 그는 국경에 가까운 도시로 목적지를 우선 잡았다. 권총을 챙겼다. 그리고 나타샤와 빅토르에게 작별의 깊은 포옹을 했다.

새벽. 하늘의 푸른 기운이 무겁게만 느껴지던 날, 그는 차에 올라타고 시동을 걸었다. 그리고 차량 내비게이션에 목적지를 입력했다. 쭉 흑해를 둘러 그어지는 굵은 선. 초행길이지만 익숙하다고 생각했다. 그는 길게 한숨을 쉬고 가속 페달을 꾹 밟았다. 차는 미끄러지듯 조용히 주택가를 지나 국도로 접어들었다. 그리고 얼마 지나지 않아 고속도로로 진입하였다. 도심의 혼잡과 번화함이 물러나고 시골 풍경이 다가왔다. 양 갈래로 나뉜 작은 농장들과 푸른 들판이 눈앞에 펼쳐졌다. 시골집들은 마을 안팎에 흩어져 있으며, 주민은 허수아비처럼 보였다. 도로 옆에 흩어진 꽃들은 차분하고 평화로웠다. 그렇게 오랫동안 그는 달렸다.

늦은 오후. 그는 비로소 고속도로를 벗어나 갓길로 접어들었다. 그리고 숲으로 들어갔다. 창밖으로는 푸른 소나무와 잎사귀가 우거진 나무들이 끝없이 이어졌다. 도로는 곡선을 그리며 높아졌다 낮아졌으며, 태양 빛이 나무 사이로 스며들었다. 그리고 폭이 좁은 강과 호수를 지났다. 일렁이는 물은 햇빛에 반짝이며, 주변의 나무들과 하늘의 색깔이 물에 그대로 드러났다. 강둑을 따라 그의 차는, 흐르는 물결과 함께 한동안 여행을 이어갔다. 이윽고 해가 서쪽으로 기울어지기 시작했다. 주변은 다시 평야로 변해가며 들판과 목장이 나타났다. 그 곳을 붉은 노을이 아름답게 덮었다. 바람은 부드럽게 불어와 그에게 평화로운 기분을 선사했다. 그는 자연의 향연에 안주하듯 이 순간을 또렷이 기억하고자 노력했다.

어쩌면 다시 못 볼 수도 있을 거야.

들판이 끝나는 곳에 철조망이 보였다. 시작을 알 수 없는 곳에서 뻗어 나온 철조망은 끝 또한 보이지 않았다. 그는 목적지에 다가섬을 직감했다. 아니나 다를까 차들이 많아지고 사람들이 눈에 띄게 늘었다. 그리고 검문소가 보였다. 우측에는 피난민을 위한 쉼터가 자리하고 그 옆에는 간이 텐트가 나란히 있었다. 그는 좌측으로 차를 몰아 차들이 몰려 있는 공터에 주차했다. 피난민들이 줄줄이 나타났다. 대부분 여성과 아이였다. 그들의 두 손에는 모두 다 비닐봉지가 쥐어져 있었다. 여전히 추운 까닭인지, 패딩 같은 두꺼운 옷과 털모자를 뒤집어쓰고 있었다. 그는 천천히 그들 곁을 지나 검문소로 갔다.

검문소 옆 면회실에는 이제 막 취재를 마치고 나오는 듯한 표정의 리포터가, 그레고리를 보더니 반가운 미소를 지으며 다가왔다. 뭔가 하나라도 취잿거리를 애써 찾는 듯한 모습이었다. 그녀는 유창한 영어로 그의 국적과 여기에 온 이유를 물었다. 그는 그녀에게 눈길을 주지 않으며, 아무 대답도 하지 않고 간단하게 인사만 했다. 그녀는 졸졸 따라오며 같은 질문을 했다. 그레고리는 단지 개인적인 용무라고만 말하고 면회실로 들어갔다. 그레고리는 담당자로 보이는 사람에게 갔다. 그는 군복을 말쑥하게 차려입고 꼿꼿한 자세로 그레고리를 표정 없이 맞이했다. 그는 자신의 신분을 감추기 위하여, 다른 나라의 가짜 여권을 보이며 물었다. 나의 아내와 지금 연락이 되지 않고 있다. 그녀를 찾으러 이곳을 통과하고 싶다. 하지만 그의 답변은 매몰찼다.

안돼!

그레고리는 안되는 이유를 듣고자 좀 더 기다렸다. 하지만 그는 당최 입을 열 생각이 없어 보였다. 그저 부루퉁한 모습이었다.

왜 안 되나요?

그레고리는 그의 눈을 똑바로 바라보며 물었다.

서류! 서류 없으면 안 돼!

그는 그레고리를 귀찮은 듯한 표정으로 쳐다봤다. 왝 쏠리는 서슬에 그레고리의 심장이 날카롭게 뛰기 시작했다.

무슨 서류인가?

그레고리는 다그치듯이 다시 물었다. 그의 미간에 주름이 섰다.

정부에서 발급하는 서류!

그는 거친 이맛살을 잔뜩 찌푸리고는 한심한 듯한 표정으로 언성을 높였다.

어느 정부를 말하는가?

그레고리는 이제 절망적인 상태가 되었다. 좀 더 정확히, 상실감조차 무뎌진 것 같은 비참함이었다.

당신 정부!

그는 이제 노골적으로 그를 밀치고선 뒤에 선 이에게 시선을 돌렸다. 그레고리는 어쩔 수 없이 그곳을 벗어났다. 지금부터 무엇을 어떻게 해야 할지 감이 서지 않았다. 그저 잡스러운 생각만 들었다. 밖은 흐리고 피난민들은 힘없이 움직였다. 기자들은 옹기종기 모여 이곳저곳을 살펴보고 있었다. 그는 무거운 발걸음을 억지로 옮기며 천천히 빠져나왔다. 아무래도 이곳을 그냥 통과하기는 힘들어 보였다. 그가 막 면회실을 나서자 그 기자와 다시 눈이 마주쳤다. 그녀는 그레고리에게 무슨 냄새를 맡았는지, 다시 그에게로 왔다.

남킹 컬렉션 #011

1월의 비

남킹 감성 소설집

리셋

Reset

남 킹 SF 소설집

남 킹 컬렉션 #010

시시포스 10

10부 (마지막회)

그레고리 흘라디는 기자를 빤히 쳐다보며 물었다.

당신은 혹시, 이곳을 통과하는 방법을 알고 있는가?

그녀는 기다렸다는 듯이 그를 붙잡고 질문을 뱉었다.

왜 국경을 넘으려고 하는가?

그레고리는 지푸라기라도 잡는 심정으로 거짓 이야기를 꾸며댔다. 폴란드에서 여자를 만나 사랑에 빠졌는데, 어느 날 그녀의 아들이 코린토스로 갔다. 그런데 실종이 되었다. 그녀는 아들을 찾기 위하여 떠났다. 나는 오랫동안 그녀와 연락하지 못하고 있다. 그래서 직접 찾아 나섰다고 간단하게 말했다. 그녀는 모처럼 좋은 기삿감을 만난 듯 더욱 구체적으로 묻기 시작했다. 그레고리는 어쩔 수 없이 적극적으로 답변을 하였다. 지금으로서는 이 기자가 그를 도울 수 있는 유일한 사람으로 판단했다. 그녀의 취재가 마무리될 때쯤, 그녀는 비로소 그레고리에게 한 가지 제안을 했다. 근처 마을에 가 있으면 밤에 연락하겠다는 거였다. 그는 다시 차를 몰고 마을로 갔다. 일단 호텔을 찾기 시작했다. 아무래도 오늘은 이곳에서 묵어야만 할 것 같았다. 하지만 호텔 값이 턱없이 비싼데다 빈방도 없었다. 그는 물어물어 마을 변두리에 있는 허름한 호스텔로 갔다.

방은 낡고 음산하고 침대는 좁았다. 침대는 꿉꿉하고 이부자리는 질척질척했다. 게다가 여섯 명이 한 방에 같이 묵는 곳이었다. 어디선가 빛이 마치 꽁지깃처럼 삐죽이 나왔다. 화장실과 샤워실은 복도 끝에 있었다. 짐을 내려놓고 혹시나 해서 지갑과 권총, 휴대전화기를 가지고 샤워실로 향했다. 샤워실 곳곳에 비닐과 머리카락이 떨어져 있었다. 게다가 꼭지는 천장 쪽으로 돌아가, 물이 하늘로 솟구쳤다 비처럼 떨어졌다. 온수는 당연히 나오지 않았다. 비누나 혹은 샴푸 비스름한 것은 아예 보이지 않았다. 그는 덜덜 떨면서도 꽤 긴 시간 동안 샤워를 했다. 그리고 다시 침대로 와서 비상식량으로 챙겨두었던 딱딱한 빵을 꾸역꾸역 씹어 삼켰다. 그리고 칸살이 붙은 침대에 누웠다. 쉴 새 없는 감정 기복과 불만, 고통 같은, 그를 수식하고 규정짓는 단어들이 무거운 몸에 짓눌러 버둥거렸다.

그는 얼마든지 여기서 벗어나 그냥 돌아갈 수 있었다. 편하고 따뜻한 방과 향긋한 음식을 얼마든지 섭취할 수 있었다. 하지만 그레고리는 이곳에서 그의 앞에 펼쳐질 불편과 고통을 기대하고 있다. 그는 무엇으로도 어쩔 수 없고, 뒤로 돌아보지 않을 만큼, 강하게 그의 시선이 이리나로 향하고 있음을 뼈저리게 느끼고 있다. 그녀를 만날 당위성보다, 그가 가야만 하는 정당성을 계속해서 반추하고만 있다. 그는 현실에 널브러져 있는 편안함에, 강한 거부의 채찍을 휘두르고 픈 충동으로 몰아넣고 있다. 그는 침대에 드러누워 긴 여행이 준 불편한 몸을 뒤적거리기 시작했다.

얼마쯤 지났을까? 갑자기 웅성거리는 소리가 들리더니 한 무더기의 사람이, 문만 빼꼼히 연 채 방을 둘러보더니, 이윽고 들어왔다. 모두 여자와 어린이였다. 피난민 같았다. 어린이들은 그레고리를 보더니, 신기한 듯이 곁눈질로 힐끗 힐끗거렸다. 그는 배낭에서 초콜릿을 하나 꺼내, 가장 나이가 들어 보이는 어린이에게 주었다. 그러자 그들 모두의 시선이 그에게로 몰렸다. 어머니는 고맙다는 표시로 미소를 보였다. 그도 미소를 지으며 고개를 끄덕였다. 그리고 그때쯤, 기자에게서 연락이 왔다. 그는 서둘러 잠바를 걸치고 약속한 식당으로 발길을 돌렸다.

****

거친 바람이 쏟아 내는 다양한 소리가 일어나고 가라앉았다. 그레고리는 변주하는 어둠을 가쁜 숨으로 마주했다. 늦은 시간이었지만 식당은 만원이었다. 당연히 무척 시끄러웠다. 손님 대부분이 외지에서 온 기자같이 보였다. 식당 안으로 문을 열고 들어서자 그녀가 저 끝에서 손짓했다. 마치 오랜 친구처럼 볼 인사를 하고 각자 의자에 착석했다. 몰랑한 볼의 감촉이 여전히 서렸다. 그녀 앞에는 이미 맥주병이 놓여 있었다. 그도 같은 맥주를 주문했다. 그녀는 어중간한 길이의 치마를 걸치고 입술 경계를 모호하게 덧칠한 입술로 술을 홀짝거렸다. 그녀는 우선 그에게 명함 하나를 건넸다. 그것은 콜택시 명함이었다. 그러면서 그에게 지도를 한 장 주었다. 그곳에는 빨간 표시로 실선이 그어져 있었다. 그녀는 그 선의 한 곳을 가리키며 말했다.

이곳이 현재 우리가 있는 곳입니다. 그리고 당신은 이 산길을 걸어서 이곳까지 가면 됩니다. 그러면 그곳에서 택시를 만날 수 있습니다. 요금은 꽤 비쌀 것입니다. 하지만 흥정을 하면 됩니다. 어차피 그들도 빈 택시로 돌아가고 싶지는 않을 테니까요. 그리고 목적지에 대해서 중간중간 계속해서 확인하세요. 이상한 곳에 내려 주고 달아날 수 있으니까요. 부디 몸조심하시기 바랍니다. 친구!

그레고리는 맥주를 한 병 비우고 그들과 헤어졌다. 따뜻한 기운이 멱을 따라 몸 전체로 퍼져갔다. 자정이 되었다. 거리는 고요하고 바람만 세찼다. 춥지만 움츠리지는 않았다. 그는 낯선 길을 걸으며 편안함을 느꼈다. 그를 둘러싼 고통과 쾌락의 갈증이 마치 생소한 옷처럼 꺼끌꺼끌했다. 그는 이제 더 이상 상상하지 않고 생각하지 않고 환상을 보지도 않으며 혼란에 당황하지도 않았다. 그저 그의 앞에 놓인 내일이 궁금할 뿐이었다.

****

그레고리는 지나치게 굳은 표정으로 거울 앞에서 옷매무새를 마치고 호텔을 나섰다. 하늘은 대체로 맑았다. 다양한 구름이 가까이에서 느껴졌다. 도시의 매캐한 매연 냄새가 났다. 산길은 생각보다 무척 가파르고 험했다. 길을 좁고 수풀은 심하게 높았다. 그는 나무줄기에 묶인 붉은 리본을 하나씩 확인해가며 천천히 올라갔다. 걸음을 뗄 때마다 쉰내가 푹푹 올라왔다. 다리는 후들거리고 땀에 전 바지는 거북스럽게 허벅지에 달라붙었다. 그는 그제야 기자가 그에게 알려준 몇 가지 주의사항을 상기했다.

물을 충분히 가지고 가세요. 그리고 천천히 가세요. 신중하세요. 절대 서두르면 안 됩니다. 무척 곤란한 상황에 빠질 수가 있어요. 리본이 한동안 보이지 않는다고 느끼면, 마지막으로 본 리본까지 돌아오세요. 그리고 다시 올라가세요. 이 길은, 당연하게도 불법 체류자들이 만든 겁니다. 그러므로 그들을 싫어하는 누군가는, 방해하거나 혼란을 초래할 수 있는 여러 가지를 설치하였습니다. 그러니 조심할 수밖에요.

그는 정신을 잡아당기며 평온을 유지하기 위하여 길게 숨을 들이마셨다. 우거진 나무들이 차양처럼 빼곡히 길을 덮고 있던 무수한 숲. 낡아 빠진 해먹 텐트가 나무에 묶인 채 건들거리고 있었다. 빽빽이 들어찬 침엽수림 사이로 쉭쉭 거리며 세찬 바람이 스쳐 지나갔다. 돌부리에 넘어지고 차이기를 반복하며 그는 황량한 곳을 힘들고 외롭게 걸어갔다. 이윽고 낮은 구릉과 돌무더기가 나타났다. 그는 거의 기다시피 하며 안간힘을 다하여 한 발짝 한 발짝 움직여 나아갔다. 암묵적인 걱정이 팽배했다.

그는 거의 반나절을 헤맨 끝에 결국 산 정상에 도달했다. 산꼭대기라고는 하지만 높은 침엽수림 때문에 보이는 것은 푸른 하늘뿐이었다. 구름이 빠르게 흘러가고 바람은 쇳소리를 내며 나무를 거칠게 흔들었다. 그는 얼마 지나지 않아 노란색 리본을 발견했다. 여기서부터는 내리막길이었다. 그는 다시 크게 한숨을 쉬고 리본을 따라 내려가기 시작했다. 내리막길은 한결 수월했다. 길의 폭도 차츰 넓어지고 경사도 줄어들었다. 하지만 여전히 혼자였다. 어쩌면 그게 나을지도 모른다고 그는 생각했다. 마주치는 사람이 군인일 수도 있고, 설령 민간인이라고 하더라고, 산책 삼아 이런 곳까지 애써 오지는 않기 때문이다.

그는 최대한 신중하게 하지만 발걸음은 힘을 다 쏟아 빠르게 걷기 시작했다. 그렇게 거의 두 시간 정도를 걸어 겨우 자그마한 마을에 도착했다. 그는 곧바로 마을의 중앙, 광장으로 갔다. 유럽 광장 대부분에는 마을에서 가장 큰 성당이 자리하고 있다. 이곳도 예외는 아니었다. 낮은 집들이 옹기종기 모여 있는 가운데 불쑥 솟은 교회는 멀리서도 선명하게 관찰할 수 있었다.

광장으로 다가갈수록 점점 많은 사람이 눈에 띄었다. 그들은 이방인을 처음 보는지, 다들 그에게 향한 시선을 멈추지 않았다. 거리의 바닥은 아스팔트 하나 없이 모두 돌바닥이었다. 그리고 무척 낡은 차들이 바닥 소리를 심하게 내며 지나갔다. 그는 사방을 두리번거리며 계속해서 택시를 찾았는데 아무리 봐도 택시가 보이지 않았다. 할 수 없이 광장 옆 공터에 세워진 2대의 차 옆에서 담소를 나누고 있는 이들에게 다가갔다. 휴대전화기는 먹통이었다.

실례하겠습니다. 혹시 택시?

그레고리의 질문에 콧수염을 한 나이 드신 분이 차량 보닛을 탕탕 두드리며 고개를 끄덕끄덕했다. 무척 낡은 차였는데 아무리 봐도 택시 표시는 없었다. 그래서 그는 재차 확인차 다시 물었다.

택시?

그러자 그는 차의 뒷문을 열면서 그에게 타라는 시늉을 하였다. 그는 썩 내키지는 않았지만 다른 방법이 없으므로 타기로 하고 가격을 물었다.

코린토스까지 얼마면 됩니까?

그리고 그는 50유로짜리 지폐 한 장을 내밀었다. 그러자 택시 기사는 함박웃음을 지으며 냅다 받더니 차의 시동을 걸었다. 그는 얼떨떨했다. 그는 자신이 바가지를 쓴 건지 아닌지 감도 오지 않았다. 아무튼 빠르게 해결이 된 것 같아 기뻤다.

****

거의 한 시간을 달려 코린토스에 도착했다. 그동안 땀에 젖은 피부가 건조해지면서 곳곳에 이상 신호를 전달했다. 마치 가시로 만든 화관을 쓴 것처럼 그의 몸 곳곳이 따끔거렸다. 그는 차장을 열고 바람을 쐬었다. 전쟁 중이라 그런지 사람들과 차들은 거의 띄지 않았다. 곳곳에 파괴된 건물 잔해만 가득했다. 그레고리는 택시 기사에서 이리나의 집 주소를 보여주었다. 하지만 그는 코린토스에 대해서 전혀 알지 못했다. 그는 그저 시내를 오락가락할 뿐이었다. 휴대폰은 여전히 먹통이었다. 그는 하는 수 없이 일단 숙소를 정하는 게 좋을 것 같아 차창 밖으로 호텔을 찾기 시작했다. 그러다 꽤 높은 언덕 꼭대기에 높이 솟은 호텔을 발견하고 택시 운전사에게 손가락으로 가리켰다.

호텔은 꽤 고급스러웠다. 입구의 넓은 홀 중앙에는 그랜저 피아노가 있고 우측에는 커피숍과 레스토랑 좌측에는 프런트 데스크가 있었다. 깔끔한 정장을 한 여성 데스크 직원이 세 명 나란히 서서 상담을 진행하고 있었다. 그는 무척 지치고 피곤하였으므로, 아무 방이나 달라고 하였다. 방은 무척 넓고 썰렁했다. 하지만 침대는 작았다. 그는 무척 허기졌으므로 우선 급하게 샤워를 마치고 재빨리 일 층 데스크로 내려갔다. 그리고 식당을 물었다. 식당은 다행히 호텔에서 채 50m도 떨어지지 않은 곳에 있었다. 그는 허겁지겁 배를 채운 뒤 호텔로 돌아와 곧바로 잠에 떨어졌다.

이른 아침. 동이 트기 무섭게 그는 길을 나섰다.

* * * * * * * * * * * * * *

세르게이 흘라디는 차를 도로 갓길에 멈추었다. 바다에서 몰려온 안개가 스며들기 시작하였다. 정적이 감도는 어둠. 바람 소리만 선명하였다. 헤드라이트도 껐다.

아무것도 보이지 않아. 뭔 뜻인지 알겠지?

뒷좌석에 앉은 니콜라이가 말했다. 옆에 앉은 올리거가 권총을 만지작거리며 주변을 찬찬히 둘러봤다. 적들이 사흘째 보이지 않았다. 하지만 도시는 군데군데 깊은 상처가 나 있었다. 행인은 모두 맥이 빠진 상태였다. 비슷한 유형의 단색 옷들이 머물렀다. 걸음은 느리고 차는 끝없이 투덜거리며 지나갔다. 다들 불행해 보이므로 그다지 불행하지 않다. 그들은 소리를 죽여가며 차에서 은밀히 내렸다.

세르게이는 떨어지지 않는 발걸음을 옮기며, 붉고 탁한 시시포스를 생경한 눈빛으로 쳐다봤다. 고통과 혼란이 쭉 뻗쳐 올랐다. 니콜라이는 잠시 멈추어 사방을 둘러보더니 왼쪽 골목으로 돌아 들어갔다. 그곳에는 어슬렁거리는 걸인들이 군데군데 모여 있었다. 어떤 이는 눈의 초점을 잃은 채, 눅눅한 하늘을 줄곧 응시했다. 설핏 의식이 나간 듯하였다. 하지만 푸르죽죽해진 입술은 쉼 없이 움찔거렸다. 목에는, 막 곪기 시작한 종기 같은 멍울이 몇 개 보였다. 선명히 드러난 빗장뼈 아래로 절망이 흘렀다. 음료 캔들이 찌그러진 채 흩뿌려져 있었다. 니콜라이 뒤로 세르게이와 올리거가 따라 걸었다.

그때 어떤 여인이 비실거리며 일행을 막았다. 그녀는 지팡이를 그러쥔 채, 천천히 세르게이에게 다가왔다. 올리거가 혼곤한 저항으로 그녀를 밀쳐냈다. 그리고 니콜라이는 권총을 그녀에게 조준했다. 여자는 초췌해진 모습으로 물러섰다. 얼굴에는 선혈이 묻었다. 그때 빌딩 숲 사이로 스치며 매서운 속도가 붙은 돌풍이 거리를 휩쓸며 불쌍한 그녀를 덮쳤다. 그녀는 실핏줄이 선연한 안구에 파리하게 지쳐 주저앉았다. 눈앞에 황망함이 가득하였다. 세르게이 몸에 차가운 소름이 돌았다. 그녀는 일행 옆에 앉은 채로 속을 모두 게워냈다. 수챗구멍에서 나는 냄새가 풍겼다. 그리고 그녀는 나자빠졌다. 몸의 초점이 한곳으로 쏠렸다. 지나가는 공기가 답답할 정도로 무거웠다. 일행은 긴장 속에 뻣뻣하게 걸음을 뗐다. 널브러진 잔해가 침묵 속에 누워있다.

건너편 식당에는 소음이 일었다. 남자의 거친 손찌검이 이어졌다. 맞는 여자는 공포에 차서 떨기 시작했다. 그리고 가슴이 북받치는 듯 흐느껴 울기 시작했다. 남자는 역정을 억지로 삼켜버리는 듯, 컥컥거렸다. 또 다른 여자는 으르렁거리며 욕지거리를 내뱉기 시작하였다. 유심한 나날을 사느라고 각축하고 고달픈 인생. 그들의 얼굴에 절망이 송골송골 맺혀있다. 거친 호흡이 낮은 하늘에 흩뿌려지듯 날아갔다. 일행의 걸음이 점점 느려졌다. 시시포스의 삶은 이제 들쭉날쭉하다. 파멸의 고리가 늘렸다. 니콜라이가 뭐라고 중얼중얼했다. 조숙하고 엄격한 말투였다. 마치 그를 감싸는 불편을 늘어놓는 듯하였다. 세르게이는 머쓱해진 표정을 지었다. 시커먼 하늘 사이로 흐릿한 달빛이 흘러갔다. 공포가 모두를 통제하고 혼란과 반목, 약탈과 은둔, 반성과 냉혈이 도시를 지배했다. 하루는 침울하고 내일은 서글픔으로 가득하다.

형제는 선술집으로 들어갔다. 갇힌 공간을 부유(浮遊)하는 조명 속의 먼지가 길을 터주었다. 실내는 술 취한 사람으로 꽉 찼다. 화사한 분홍빛과 덤덤한 회색, 서늘함과 따스함, 늙음과 젊음, 무표정과 반항이 혼재하고 창백한 피부와 투명한 눈빛, 맑은 미소와 무덤덤함이 흘러내렸다. 니콜라이가 음식과 술을 시켰다. 형제는 염치 불고하고 정신없이 배를 채웠다. 그들은 거의 이틀을 물만 먹었다.

올리거는 광채가 일정하게 피어나는 투명한 보드카가 담긴 크리스털 잔을 내려놓은 듯하더니 다시 들어 올려 쭉 마셨다. 시간이 갈수록 그는 웃음이 많아지고 손동작이 느려졌다. 올리거의 취한 모습은 흥미로웠다. 무엇인가에 닿고 싶어 하는 본능을 억제하기 힘들어하는 것을 느낄 수 있다. 그는 세르게이의 볼과 이마, 턱을 쓰다듬으며 부드러운 미소를 지었다. 그는 발그레한 볼을 부풀리며 말했다.

우리 막내! 귀여운 우리 동생! 너는 꼭 살아야 한다! 알겠지!

형제들은 오랜만에 무의미하거나 반복적인 장난을 이어갔다. 이따금 감정의 큰 변화에 휘둘리는 듯하기도 하였다. 니콜라이가 더욱 그러했다. 그는 처자식이 생각나는지 자꾸 탁자를 치며 고개를 저었다. 삶이 뒤틀리는 과정에서 꿈틀거리며 유영하는 그들은, 그러함 속에 갇혀 더 나빠질 수 없는 폐허의 도시 한가운데를 헤엄치고 있었다.

* * * * * * * * * * * * * *

공습 사이렌이 울렸다. 도시 전체가 온통 으르렁거리기 시작했다. 개들이 그렁그렁하며 날뛰었다. 얼마 뒤, 쿵쾅 쿵쾅하는 소리를 동반한 흔들림이 가까이에서 혹은 멀리서 느낄 수 있었다. 형제는 서둘러 뛰기 시작했다. 부서진 잔해로 범벅된 대로를 피해 달렸다. 낭패감을 동반한 절망이 솟구쳤다. 머릿속이 분분하기 이를 데 없다. 무거운 하늘과 낮은 산들이 맞닿은 곳이 벌겋게 달아오르고 있었다.

그때, 그들 앞에 폭탄이 떨어졌다. 고막을 찢는 듯한 굉음이 쏟아졌다. 세르게이의 눈앞은 지독한 먼지로 뒤덮인 듯 까끌까끌하며 흐렸다. 마치 슬로비디오처럼 모든 게 정지한 듯 꾸물거리며 둥둥 뜨기 시작했다. 세르게이는 떨어지지 않으려고 발작처럼 힘을 주었다. 올리거가 펄썩 주저앉았다. 그의 바지가 찢어졌다. 그리고 그 틈으로 피가 번졌다. 니콜라이가 허리끈을 풀어 올리거의 다리를 쪼였다. 올리거는 찐득한 고통을 잡아맨 끈 사이로 느꼈다. 다시 회오리바람이 성긴 천으로 된 옷을 뚫고 그의 피부를 따갑게 긁어대기 시작했다. 메스꺼움이 욱하고 올라왔다. 거리에는 존재의 가치를 곱씹을 수 있는 여유조차 느낄 수 없을 만큼 벼랑 끝의 영혼들이 나뒹굴었다.

****

형제가 탄 차가 출발하자마자 포탄들이 하늘에서 비처럼 쏟아지기 시작했다. 세르게이는 광기에 휩싸여 거칠게 차를 몰았다. 공포와 절망이 눈앞을 휙휙 스쳐 갔다. 섬광이 사방에서 동시에 솟아올랐다. 강력한 폭발음이 밤공기를 찢었다. 하지만 세르게이는 굴하지 않고 차의 속도를 높여갔다. 연기와 불길이 도시의 풍경을 그렸다. 그때 니콜라이의 휴대폰이 울렸다.

대장! 적들이 돌아왔어! 항구에 탱크가 가득해! 수백 대는 될 거 같아!

젠장! 더러운 새끼들! 결국 육해공 대규모 공습이었네! 병사들이 사라진 이유가! 시시포스 시민을 다 죽이려고 작정한 거야! 저 새끼들이!

니콜라이가 휴대폰을 거칠게 내려놓으며 외쳤다.

세르게이! 우리 집에 나 좀 내려줘!

올리거가 다리의 고통을 참으며 말을 내뱉었다.

안돼! 우린 방공호로 가야 해! 너희 집에는 왜 가려는 거야?

니콜라이가 정색하며 물었다.

형! 내게 생각이 있어. 제발 부탁이야 나 좀 집에 내려줘!

10분 정도 달려 올리거의 집에 도착한 세르게이는 형을 부축하여 집으로 들어갔다. 그리고 형을 침대에 눕혔다. 형의 이마에 작별 입맞춤을 하고 나서려는데 올리거가 그를 붙잡았다.

세르게이! 너는 꼭 살아야 한다! 무슨 말인지 알지! 그러니 제발 시외곽으로 달아나! 알았지!

형! 걱정하지 마! 우리 모두 안전할 거야! 그럼 편히 쉬어!

세르게이는 올리거를 쳐다보며 미소를 지었다.

그래! 그럴 거야. 우리 모두….

세르게이는 천천히 집 밖으로 나왔다. 하늘에는 여전히 수많은 포탄이 수를 놓았다. 세르게이가 다시 차에 올라타고 시동을 걸자 니콜라이가 말했다.

세르게이 잘 들어! 나를 방공호에 내려 주고 너는 곧장 이곳을 벗어나도록 해! 알겠지!

그게 무슨 소리야? 형!

너는 무조건 시 외곽으로 가란 말이야! 알겠어! 이건 형의 명령이야!

세르게이가 운전하는 차가 방공호로 가까이 갈수록 땅이 흔들렸다. 도시 건물 사이로 굉음을 내며 전차들이 움직이는 것이 보였다. 거대한 기계들은 무자비한 지배자로서 성큼성큼 다가오며, 어둠 속에 그들의 공포를 퍼트렸다. 도시는 살육이 지배하는 향연의 장으로 변했다. 전차들은 인간의 자유를 빼앗고 희망을 부수었다. 그것들이 지나간 길은 인간의 마지막 희망들을 훼손하는 행진이었다. 건물들은 파괴되어 영혼들이 피할 수 없는 위태로움에 휩싸였고, 인간들은 죽음의 무게에 무릎을 꿇었다. 불길에 휩싸여가는 건물들과 인간들의 비명이 세르게이의 귀를 찔렀다. 하지만 세르게이는 능숙하게 운전했다. 그는 불가능한 길을 뚫고 나아가는 강인한 운전사로서의 모습을 보여주었다.

****

그레고리 흘라디는 마침내 이리나의 집을 찾았다. 지도 한 장 들고 도시 곳곳을 걸으며 거의 세 시간을 헤맨 끝에 도착한 것이다. 그는 나타샤가 보내준 동네 주변과 집 사진을 번갈아 보며 이곳임을 확신했다. 하지만 사진 속 깔끔하고 아름다운 주택은 더 이상 존재하지 않았다. 지붕은 부서지고 베이지색 벽은 불에 탄 듯 검게 그을렸다. 그레고리는 주변을 훑어봤다. 낮이지만 개미 새끼 한 마리 돌아다니지 않았다.

그레고리는 숨을 한 번 들이키고는 벨을 눌렀다. 그의 손끝이 떨렸다. 하지만 아무런 반응이 없었다. 그는 다시 한번 눌렀다. 새소리도 숨죽인 동네에 벨 소리는 유난히 크게 들렸다. 그는 잠시 기다리다 이윽고 대문을 살짝 밀었다. 딸깍거리며 문이 열렸다. 그는 천천히 엘리베이터로 갔다. 하지만 작동하지 않았다. 그는 하는 수 없이 계단으로 걸어서 3층으로 올라갔다. 그리고 문을 손으로 두드렸다. 이

욱고 문이 천천히 열렸다.

누구신데?

이리나는 그레고리를 힘겹게 쳐다보며 물었다. 그녀는 몹시 초췌한 모습이었다. 어지럽게 흩날리는 머리카락과 창백한 얼굴은 병색이 완연했다. 그녀의 반짝였던 눈은 절망 같은 시선을 가득 담은 채 초점을 잃고 흐리게 변해 있었다.

나요. 그레고리.

그녀의 입술이 떨렸다. 그녀의 입꼬리는 부정형으로 비뚤어지고 새어 나오는 숨결은 절규로 변했다.

왜 이제 온 거야? 그레고리. 이 개새끼야!

그녀는 원망을 가득 담은 채 그레고리를 붙잡고 흔들었다. 그레고리는 모든 힘이 삽시간에 날아간 듯 그 자리에 털썩 주저앉아 얼굴을 바닥에 찧었다.

미안해! 이리나! 정말 미안해! 이리나!

****

올리거 흘라디는 석유통을 들고 지하로 비틀거리며 내려갔다. 파편이 박힌 그의 다리에서 피가 진득하게 흘러내렸다. 그는 고통을 참으며 한 발짝 한 발짝 발을 디뎠다. 위로부터 들려오는 굉음은 마치 천둥처럼 울렸다. 땅이 끊임없이 떨렸다. 대규모 전차들이 그들의 강렬한 엔진소리로 올리거의 가슴을 휘젓고, 그에게 임박한 위기를 고조시켰다. 벽틈 사이로 먼지가 연기처럼 내렸다. 전쟁의 무서움과 혼돈의 심연이 그를 포위하였다. 그러나 그 속에서도 그의 눈은 단단히 막힌 족쇄를 꿰뚫고, 자유를 향한 갈망과 절대적인 생존 본능에 매여 있다.

마침내 그는 무기 저장고 문을 열었다. 공간은 심각한 침묵이 서렸다. 절뚝거리는 다리로 서 있는 올리거는 곁눈질하며, 넓은 공간을 채우고 있는 어마어마한 무기들을 바라봤다. 그의 숨결은 긴장과 불안으로 뒤틀려 있지만, 마음속에는 당당함과 용기의 씨앗이 피어오르고 있었다. 그는 곧 있을 피의 향연을 상상했다. 그곳에 서 있는 올리거에게는 무기들이 품고 있는 힘이 느껴졌다. 그것들은 그 표면에서 차갑고 무정한 광채를 발산하며, 그 영역을 통제하고 지배하는 듯한 기세를 내보였다.

그는 이것이 생명의 역사와도 같다고 느꼈다. 그 속에는 상실과 분노, 복수와 살육이 깃들어 있으며, 모든 것을 파괴하고 산산조각으로 부수며 그 자리에 흉포한 존재감을 남길 것이다. 이 어둠의 성소에는 인간의 야만성과 본성이 얽혔다.

올리거는 죽음의 날개를 펼치고 싶었다. 적을 압도하고 휩쓸며, 인간의 어리석은 행동을 비웃으며, 살아있는 존재의 피부에 파고들어서 영혼까지 빼앗고 싶었다. 이 모든 것은 한마디로 말하자면, 삶의 취소 선이다.

올리거는 석유를 골고루 뿌렸다. 그리고 라이터 불을 그 속으로 던졌다. 불은 삽시간에 번졌다. 그리고 마침내, 시간은 멈추었다. 올리거는 고요한 순간을 맞이했다. 연쇄적으로 터지는 폭발음, 돌아가는 시간, 그리고 끊임없이 떨리는 땅은 모두 사라지고, 그는 하나로 뭉친 소리와 마음의 안식을 발견하였다.

＊＊＊＊＊＊＊＊＊＊＊＊＊

그레고리는 이리나를 만난 지 채 30분도 되지 않아 다시 거리로 나섰다. 그의 아들 안톤을 찾기 위해서였다. 한 번도 보지 못한 아들. 그는 이리나가 건네 아들의 사진을 연거푸 보며 그의 이미지를 머릿속에 새겨넣으려고 애썼다. 이리나는 그의 손을 꼭 잡으며 말했다.

당신 아들이 정부군에 끌려갔어요. 이제 겨우 열여섯이에요. 어린애란 말이에요. 전 그 애가 올 때까지 여기를 떠날 수 없어요.

막상 밖을 나왔지만 그레고리는 암담했다. 어디로 가야 할지 감이 서지 않았다. 낯선 도시. 파괴된 거리. 암울한 하늘. 그는 일단 사람들이 있는 곳으로 가기로 했다. 교회와 광장, 그리고 카페가 있는 곳으로 그는 천천히 걸었다.

주택가를 벗어나자 제법 큰 길이 나왔다. 사람들이 하나둘 눈에 띄었다. 그들은 모두 행색이 초라했다. 다들 검은 비닐을 하나씩 들고 뭔가를 찾는 듯 무너진 잔해를 뒤지고 있었다. 그레고리는 돌로 된 도로 옆 트램 철길을 따라 걸었다. 발걸음이 그 어느 때 보다 무거웠다. 그의 텅 빈 가슴을 채우는 것은 후회와 고통, 절망과 안타까움이었다.

이윽고 그의 눈에 교회의 첨탑이 보였다. 사람들이 점점 많아졌다. 길도 넓어졌다. 마침내 광장이 나타났다. 꺼진 분수대가 중앙을 차지하고 동서남북 방향으로 웅장한 탑이 각각 서 있다. 그리고 그 주변으로 카페가 보였다. 그레고리는 카페에 자리를 잡고 커피를 주문했다. 화약 냄새를 품은 바람이 불었다. 그는 이리나의 눈에서 흘러내리는 한줄기 눈물을 떠올리며 괴로웠다.

젠장, 결국 이렇게 되고 말았어.

이윽고 그레고리 앞에 커피잔이 놓였다. 그는 주머니에 있는 사진을 만지작거렸다. 그리고 뜨거운 커피를 천천히 마셨다. 쓰린 기억이 목구멍을 훑고 지나갔다. 탁자에 커피잔을 내려놓고 맞은편 건물을 멍하니 바라봤다. 온통 이리나 걱정뿐이었다.

아들을 못 찾더라도 이리나를 데리고 가야 해!

그레고리가 다시 커피잔을 들려고 하는 찰나 공습경보가 울렸다. 노상 카페에 자리했던 사람들이 익숙한 듯 자리를 뜨기 시작했다. 그레고리도 그들을 따라가려고 일어섰다. 그때 하늘을 가르는 쇳소리가 나더니 맞은편 건물이 쿵 하며 화염에 휩싸였다. 수많은 파편이 연기처럼 피어올랐다가 다시 땅으로 떨어졌다. 그레고리는 고개를 든 채 벽에 바싹 붙어 이 광경을 지켜봤다. 잠시 후 폭격을 받은 건물 베란다에 어떤 여자가 울부짖으며 나왔다. 그 여인은 베란다를 서성거리며 안절부절못하고 있었다. 그녀의 등 뒤에는 불이 활활 타고 있었다. 그녀는 광장을 내려다보며 사람들에게 도움을 요청했다. 하지만 아무도 그녀에게 갈 수 없었다. 연이어 폭발음이 울렸다.

그레고리는 그녀에게로 뛰어갔다. 가까이 갈수록 점점 선명해지는 얼굴. 그는 좀 더 가까이 다가가서 그녀에게 소리쳤다. 그리고 그녀에게 손짓했다. 그를 쳐다보며 그녀는 베란다에서 뛰어 내렸다. 그녀가 그를 덮쳤다. 그는 철퍼덕거리며 부서졌다. 그의 팔과 다리가 기괴한 모습으로 부러졌다. 머리는 깨져 골수가 흘러나왔다. 배는 터져 창자가 쏟아졌다. 얼굴 반쪽은 심하게 찢어졌고 눈알은 으깨어졌다. 그녀는 그레고리를 응시하며 눈물을 쏟았다.

미안해요! 아저씨! 정말 미안해요! 아저씨!

그녀는 몰려든 사람들의 부축을 받으며 사라졌다. 그레고리는 멀어지는 이리나를 하염없이 바라봤다.

****

시를 벗어나 고속도로에 접어든 세르게이는 번쩍이는 광채에 차를 멈추었다. 그는 두려움에 질린 눈으로 시시포스를 돌아봤다. 도시는 거대한 불기둥에 휩싸였다. 그리고 몽환적인 구름은 검은 하늘을 대낮처럼 밝히며 하늘로 끝없이 올라갔다. 강렬한 빛이 하늘을 가득 채웠다. 하늘은 즉각적으로 붉은색과 오렌지색으로 변모하였다. 화려한 석양처럼 아름답게도 보였다. 땅의 파동이 느껴졌다. 화염 구가 하늘을 찔렀다. 그리고 고막을 찢는 굉음이 쏟아져 내렸다. 마치 끝없는 지옥의 입구가 열리는 듯한 착각을 일으켰다.

세르게이는 무력하게 그 장면을 바라보고, 두려움과 절망의 물결에 휩싸였다.

〈끝〉

블루 드래곤 744

넘킹 시나리오

남킹 컬렉션 #006

심해

낚킹 장편소설

낚킹 컬렉션 #004

남킹 컬렉션

버스 민폐녀

남 킹 슬 픈 이 야 기

남킹 컬렉션 #027

남킹 SF
소설집

브런치 스토리

남킹 컬렉션 #026

서글픈
나의 사랑

남킹 장편소설

남킹 컬렉션 #025

길에 내리는 빗물

남 킹 소 설 집

남킹 컬렉션 #024

사랑 그 쓸쓸함
에 대하여

남 킹 음악산문

남킹 컬렉션 #021

거리를
비워두세요

남킹 음악에세이

남킹 컬렉션 #020

남킹 컬렉션 #019

이방인

남킹 장편소설

남킹 판타지 소설집

하니은 매화

남킹 컬렉션 #015

남킹 컬렉션 #012

남킹의 문장 1

언어의 마법사 남킹의 문장들

남 킹 컬 렉 션 # 0 0 1

그레고리 흘라디의 묘한 죽음

남킹 장편소설

남킹 컬렉션 #004

심해
deep ocean

남킹 SF 장편소설

남킹 컬렉션 #003

신의 땅
물의 꽃

남킹 판타지 SF

남킹 장편소설

남킹의 문장 2

언어의 마법사 남킹의 문장들

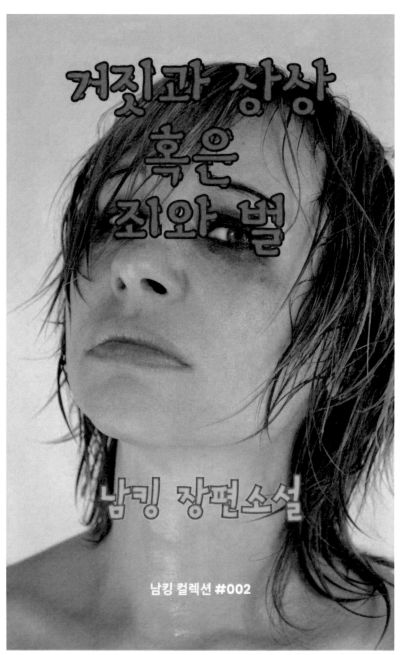

거짓과 상상 혹은 좌와 별

남킹 장편소설

남킹 컬렉션 #002

남킹 컬렉션 #011

1월의 비

남킹 감성 소설집

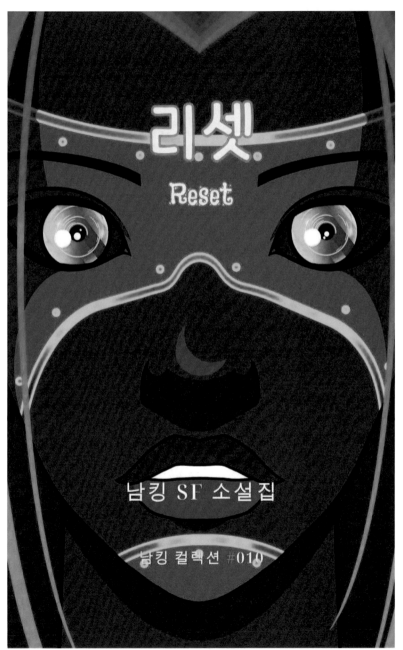

리셋

Reset

남킹 SF 소설집

남킹 컬렉션 #010

삶과 죽음의 노래

시놉시스

제목 : 삶과 죽음의 노래 (SF 대하소설)

주제 : 포스트 아포칼립스 시대를 헤쳐 나가는, 인간 군상의 처절한 삶의 기록

배경 :

2020년대부터 시작된, 강대국 간의 패권 다툼과 그로 인한 전쟁 확산, 급격한 지구 온난화와 인구 팽창은, 전 세계 경제를 장악한 <아르한 가문>에게는 위협이었다. 그들은 오랫동안 구상했던 <지구 초기화 프로젝트>를 은밀하게 40년 동안 진행한다. 대량 파괴 무기와 식량을 비축하고 대규모 돔을 건설한다. 그리고 만 명이 주거 가능한 초대형 우주정거장을 건설한다. 달과 화성 식민지 건설을 위한 테라포밍에도 적극적으로 참여한다. 마침내 2066년 6월 6일. <아마겟돈> 혹은 <종말의 일주일>로 알려진 대규모 살상을 실행한다. 지구의 모든 도시에 핵폭탄을 터트리고, 살상 가스와 치명적인 바이러스를 퍼트린다. 결국 90억의 인구 중 1억 정도만 남게 된다. 생존자들은 살기 위해 바다로, 남극으로, 지하로 숨어든다. 그리고 그곳에서 또 다른 도시를 건설한다.

인류 멸종 후, 33년이 지난 2099년. 태양계 전체를 통일한 아르한 가문의 <헬므강>은 남은 세력을 없애기 위해 지구로 다시 눈을 돌린다. 이에 맞서기 위해, 저항군으로 참여했던 이들이 냉동에서 차례로 깨어난다.

각 권

아케론

2. 라후라

3. 릴리안

4. 노재현

5. 안도라

6. 프라노

7. 헬므강

주요 용어

애틀랜타 : 지하 도시

노아의 돔 : 지상에 건설한 보호 거주시설

푸른강 : 노재현이 설립한 저항 단체

샤크라 : 아마겟돈 이후 생존한 돌연변이 종족

블루딥 : 인공지능. 헬므강의 명령으로 아마겟돈 일으킴.

주요 인물

키에르 포프 : 지하 도시 <애틀랜타> 지도자

아케론 포프 : 키에르 포프 아버지

안나 포프 : 아케론 아내. 애틀랜타 건국의 어머니

릴리안 : 기호학자. 예언서 발견. 노재현을 설득하여 저항군 창설

라후라 : 저항 단체 <푸른강> 형제. 해커

제냐 : 라후라 연인. 애틀랜타 건국의 어머니

노재현 : 저항군 지도자. 미래를 주도하는 사업의 성공으로 헬므강에 맞선다.

김관홍 : 저명한 신경학자. 노재현과 함께 저항군 창설

안도라 : 고고학자. 대량 파괴 무기 저장고를 발견. 이후 저항군 참

여

프라노 : 뉴욕 마피아 변호사. 아마겟돈 이후 남극의 빙하 왕국 건
설.

헬므강 : 아마겟돈을 일으킨 장본인. 아르한 가문의 수장.

줄거리

1. 아케론

아마겟돈 이후 폐허가 된 지구. 지상에서 안전한 곳은 <노아의 돔>. 아케론은 아들을 그곳으로 보내기 위해 마약을 운반한다. 하지만 가는 도중 드론의 공격을 받고 죽는다. 30년 뒤, 냉동에서 깨어난 아케론은, 라후라와 함께, 아들을 만나러 지하 도시인 <애틀랜타>로 간다. 라후라는 비밀 저항 단체인 <푸른강> 멤버. 아케론의 아들 키에르는 지도자로 성장했다. 아케론은 그곳에서, 그의 아내인 안나, 기호학자인 릴리안, 그리고 제냐가 애틀랜타를 개척하였다는 것을 알게 된다. 그리고 라후라와 제냐의 관계를 어렴풋이 느끼게 된다. 한편, 냉동되었던 푸른강 형제와 주요 인물들이 차례대로 깨어난다. 그들은 키에르와 협력하여 지상에 뿔뿔이 흩어져 사는 <샤크라>를 몰아내기 시작한다. 샤크라는, 심한 방사선 노출에 의한 돌연변이로 매우 폭력적이다.

2. 라후라

아론 오방카스는 스위스 입자 물리 연구소원이다. 그는 휴가 때, 유럽 전역을 돌아다니다 운명적으로 제냐를 만나 사랑에 빠진다. 그는

연구소에서 시스템 보안 담당자, 집에서는 해커였다. 그러던 어느 날, 금융 시스템을 해킹하다 경찰에 잡혀 구금된다. 그를 면회하러 온 사람은 <푸른강> 형제인 김관홍. 그의 설득으로 형제가 되고 <라후라>라는 이름을 부여받는다. 그리고 형제의 도움으로 탈출한다. 그의 첫 번째 임무는, 약을 릴리안에게 가져가는 것. 그 약은 인간의 하루 최소 필요 영양소를 응축해놓은 것으로, 노재현이 설립한 제약회사에서, 아마겟돈을 대비하여 은밀하게 개발하였다. 마침내 아마겟돈이 시작되었다. 그는 약을 가지고 먼저 제냐를 찾아간다. 그녀를 설득하여 릴리안이 있는 수도원으로 약과 함께 그녀를 보낸다. 릴리안이 그 수도원에 있는 이유는, 그곳에 바로 지하 카타콤이 있는 것. 이미 릴리안은 아마겟돈을 예언하고 지하에 모든 대피 시설을 갖추어 놓은 상태. 제냐를 그곳에 맡긴 라후라는, 다음 임무를 위하여 제냐와 헤어진다.

3. 릴리안

릴리안은 스펙트럼 장애를 보이며, 다섯 살이 될 때까지 말을 할 줄 몰랐다. 그러던 어느 날 그녀는 난해한 책을 보기 시작하는데 온종일 책만 봤다. 후에 그녀는 최고의 기호학자가 되어 케임브리지에서 교수로 발탁된다. 그녀의 취미는 유럽 전역에 있는 수도원을 돌아다니면서 고서적을 해석하는 것. 거기서 그녀는 아주 묘한 책을 발견한다. 그녀는 그 책에 빠져드는데 그것은 놀랍게도 예언서였다. 그리고 아마겟돈이 조만간 시작된다는 것을 알게 된다. 그리고 포스트 아마겟돈을 지휘하게 될 중요한 인물을 알게 된다. 그녀는 노재현을 찾아가서 설득한다. 그리고 그가 <푸른강>이라는 비밀 결사대를 만들도록 돕는다. 한편 그녀의 예언서에 관심을 가지게 되는 어떤 세력을 눈치챈다. 그녀는 그들의 추적을 피해 수도원으로 피신한다. 그리고 <푸른강>의 재정적 자립을 돕기 위해, 노재현에게 미래에 유행할 몇 가지 아이디어를 말해준다. 그리고 미래 지하 도시의 가장 중요한 지도자를 보호하기 위해 그의 어머니 안나를 찾기 시작한다.

4. 노재현

노재현은 천재 물리학자다. 그는 MIT 공대에서 인공지능 개발을 주도했다. 그런데 어느 날 릴리안을 만나고 나서 그는 실리콘 밸리로 가서 사업을 시작한다. 사업은 승승장구한다. 마치 미래를 아는 듯이 그의 업체는 나날이 번창한다. 그리고 그는 김관홍을 우연히 만난다. 노재현은 제주도로 신혼여행을 갔다가 한라산 등반에서 길을 잃고 헤맸다. 그러다 보육원을 발견하고, 하룻밤을 묵게 되었다. 그곳은 김관홍 어머니가 운영하는 곳. 노재현은 우연히 책상에 꽂힌 김관홍의 논문을 읽고는 감격한다. 그리고 곧바로 미국으로 돌아가 김관홍과 함께 <퓨쳐아이> 사업을 하며, 미래를 준비한다. 그들은 세계 곳곳에 비밀 연구소를 만든다. 남극의 외딴곳에는 냉동장치도 만든다. 그는 예언서에 따라 중요한 인물을 추적하여, 죽기 직전 냉동 보관하기 시작한다. 그곳에는 <안도라>도 포함되었다. 그리고 아마겟돈을 막기 위해 <저항군>을 창설한다. 하지만 실패하고 결국 자신도 냉동실에 들어간다. 30년 후를 기약하며….

5. 안도라

안도라는 고고학자이다. 그는 알제리 출신으로, 오지의 유적지를 주로 발굴한다. 그러던 어느 날 자신의 중간 이름과 유사한 지역명을 발견하고는 호기심을 가진다. 그 지역은 고비 사막 한가운데였다. 그는 어렵게 그곳을 탐방하게 되었는데, 그곳에서 엄청난 양의 핵폭탄이 숨겨져 있다는 사실을 발견한다. 그리고 그는 누군가에게 쫓기다가 결국 살해당한다. 30년 뒤 냉동에서 깨어난 그는, 자신의 아버지가 <지구 초기화 음모> 즉, 아마겟돈을 일으킨 세력의 핵심 간부라는 사실을 알게 된다. 그리고 전 세계 일곱 군데에 이런 핵폭탄 저장고가 있다는 사실을 밝혀낸다. 그중 4개는 이미 아마겟돈에서 사용하였고 나머지 3개가 남아있었다. 그는 김관홍, 아케론과 함께 대량 파괴 무기를 무용화시키기 위해 길을 나선다. 그들이 처음 도착한 곳은 남극. 이곳 어딘가에 무기 저장고가 숨겨져 있다. 하지만 이곳은 이미 빙하 왕국이 있었다. 왕국의 종신 지도자는 <프라노>. 그를 만나 제2의 아마겟돈을 경고하고 협조를 당부한다. 그렇게 공동 조사단이 결성되어 어렵게 탐험한 끝에 마침내 저장고를 발견한다. 하지만 프라노는 자신의 영토 확장을 위한 무기로 사용하기 위하여 무기를 강탈하고 그들을 추방한다.

6. 프라노

프라노는 뉴욕 변호사 출신이다. 그는 할렘가의 빈민촌에서 태어나, 어릴 적부터 마피아에 소속되었다. 그러던 중, 보스의 죄를 대신 뒤집어쓰고 감옥에 가게 된다. 그곳에서 그는 글을 배워 도서관 절반을 차지하는 법률 서적을 읽기 시작한다. 5년 뒤 특사로 풀려난 그는 이미 변호사가 되어 있었다. 그는 두목의 변호사가 되어 삽시간에 실세가 된다. 그의 나이 겨우 서른이었다. 그런데 아마겟돈이 시작되었다. 그는 마피아 세력을 규합하여 남극으로 피신한다. 그곳의 실질적인 지도자가 된 그는, 귀인을 만나게 된다. 그는 대형 유조선 선장 출신이었는데, 남극 곳곳에 수십 군데의 식품 저장고가 있다는 사실을 알려준다. 그 저장소는 아마겟돈은 준비하는 <헬므강>의 지시에 의한 것이었다. 프라노는 그중 한 곳을 알게 되어, 마침내 만성 식량 부족에서 벗어난다. 그리고 얼음 왕국을 건설하기 위해 빙하를 파기 시작한다. 그리고 나머지 식량 저장소를 추적하여 탈취한다. 하지만 헬므강은, 아마겟돈 이후, 지구로 눈 돌릴 여유가 없었다. 그의 지지 기반이었던 태양계 식민지에서 계속해서 반란이 일어났기 때문이었다. 마침내 아마겟돈 30년 뒤, 태양계를 통일한 헬므강은 가장 먼저 빙하 왕국의 침공을 결정한다.

7. 헬므강

헬므강의 할아버지는 콜롬비아의 마약 카르텔 두목이었다. 그는 혼외 자식을 여럿 두었는데 그중에 가장 똑똑한 애를 미국으로 보내 교육했다. 그가 헬므강의 아버지 세자르였다. 그는 플로리다를 기반으로 마약 제국을 건설하였으나, 끝없는 세력 다툼과 FBI의 추적으로 골머리를 앓았다. 결국 그는 자신의 다섯 아들을 완전히 다른 신분으로 세탁한 뒤, 유럽의 주요 나라로 보낸다. 헬므강은 장남이었다. 그는 형제들과 <아르한 가문>을 결성한다. 그는 독일에 정착하여 금융회사를 사들여 합법적인 사업을 시작한다. 한편 세자르는 FBI의 추적을 피해 달아나다 결국, 충복의 배신으로 살해당한다. 아르한 가문은 유럽의 경제계를 주무르는 큰 손이 된다. 더 나아가, 그들은 중동과 남미의 석유 산업, 북미와 러시아의 군수 산업에 진출하면서 일약 세계를 움직이는 거물로 성장한다. 이즈음 헬므강은 자신의 야욕을 드러낸다. 그는 <지구 초기화 음모>를 기획하고 실행한다. 대량 파괴 무기와 식량을 비축하고, 인공위성 및 태양계 행성과 위성에 식민지 건설을 추진한다. 그리고 지상에는 거대한 돔을 만든다. 한편 그는 정보통신업계 미다스의 손으로 불리며, 빠른 속도로 성장하는 노재현을 주시한다. 헬므강은 아버지 추종 세력들을 끌어들여, 노재현과 그의 비밀 단체 회원들을 추적하여 살해하기 시작한다. 그리고 마침내, <블루딥>이라는 AI를 이용하여, <종말의 일주일>이라고 일컬어지는 아마겟돈 전쟁을 실행한다.

연대기

2000년

노재현 탄생 (저항 세력 <사피엔티아>의 창설자. 유명한 사업가)

프라노 탄생 (뉴욕 마피아 변호사. 아마겟돈 이후 남극 왕국 <블루랜드> 초대 왕)

헬므강 탄생 (아르한 가문의 수장. 아마겟돈을 일으킨 장본인. <태양의 제국> 황제)

2011년

안도라 탄생 (유명한 고고학자. 대량 파괴 무기고 발견. 사피엔티아 4의 형제)

2021년

릴리안 탄생 (기호 학자. 파벨 예언서 발견. 노재현을 설득하여 저항군 창설)

2022년

우크라이나 러시아 전쟁

2023년

중동 전쟁

2024년

중국 대만 침공. 미국 참전.

2025년

북한 한국 침공. 중국, 일본 참전.

2026년

러시아 폴란드 침공. EU 참전. 3차 세계대전 발발.

2029년

중국과 미국의 휴전으로 3차 세계대전 종료.

10억 명 사망. 참전국 국토의 40% 초토화. 세계 경제 100년 전으로 후퇴.

국지적 분쟁 심화.

2030년

아르한 가문 전 세계 경제 장악.

2033년

양자 컴퓨팅을 기반으로 한 하이브 마인드 인공 지능 슈퍼컴퓨터 <솔라넷> 개발.

최첨단 딥러닝 인공 지능 <블루딥>을 탑재한 방어 시스템 가동.

라후라 탄생 (사피엔티아 8의 형제. 해커)

2037년

아케론 포프 탄생 (키에르 포프의 아버지. 저항군 핵심 인물)

제냐 탄생 (라후라 연인, 아틀란티스 건국의 어머니)

2039년

안나 포프 탄생 (아케론 포프의 아내. 지하 도시 아틀란티스 건국의 어머니)

2044년 4월 4일

아르한 가문 <지구 초기화 프로젝트> 시작.

달과 화성 식민지 건설을 위한 테라포밍 사업 참여.

2046년

대량 파괴 무기 및 식량을 전 세계 오지에 비축 시작.

대도시 외곽에 대규모 돔 건설 시작. 일명 <노아의 돔>

2048년

만 명이 주거 가능한 초대형 우주정거장 1호 건설.

2051년

달 식민지에 개척인 천 명 이주.

2056년

화성 식민지에 개척인 천 명 이주. 대규모 돔 천 개 돌파.

2058년

우주정거장 50호 돌파.

2059년

달 식민지에 공식 국가 선포. 주거 인구 만 명 돌파.

2060년

목성의 위성 유로파 테라포밍 시작.

2063년

토성의 위성 타이탄과 엔켈라두스 테라포밍 시작.

2064년

화성 식민지에 공식 국가 선포. 주거 인구 오만 명 돌파.

달 식민지 주거 인구 십만 명 돌파.

2065년

대규모 돔 만 개 돌파. 우주정거장 100호 돌파.

2066년 6월 6일

<아마겟돈> 혹은 <종말의 일주일> 시작.

6월 6일 : 인구 천만 이상의 대도시에 핵폭탄 터짐.

6월 7일 : 인구 백만 이상의 도시에 독가스, 신경가스 살포.

6월 8, 9, 10일 : 수억 개의 드론이 주거 지역에 변종 에볼라 바이러스 살포.

6월 11, 12일 : 군사용 드론을 이용하여 모든 산업 시설 파괴.

2067년

지구 90억 인구 중 1억 명 생존.

남태평양 폴리네시아 군도에 피난민들로 구성한 국가 탄생. 국명 <베네치아>

키에르 포프 출생 (지하 도시 아틀란티스의 지도자)

2068년

남극 <킹 조지 섬>을 중심으로 피난민들로 구성한 왕국 탄생. 국명 <블루랜드>

방사능에서 살아남은 극소수의 변종 인간 <샤크라>들이 대부분의 텅 빈 육지를 점령.

2069년

지하 도시 5개가 연합한 연방국 탄생. 국명 <아틀란티스>

아케론 포프 사망.

2099년

9월 9일 : 화성을 기반으로 한 아르한 가문의 장남 <헬므강>이 태양계 전체를 통일.

<태양의 제국> 시황제로 등극.

지구의 모든 국가에 선전포고.

사피엔티아 형제들 냉동에서 깨어남.

남킹 컬렉션 #003

신의 땅 불의 꽃

남킹 판타지 SF

남킹 장편소설

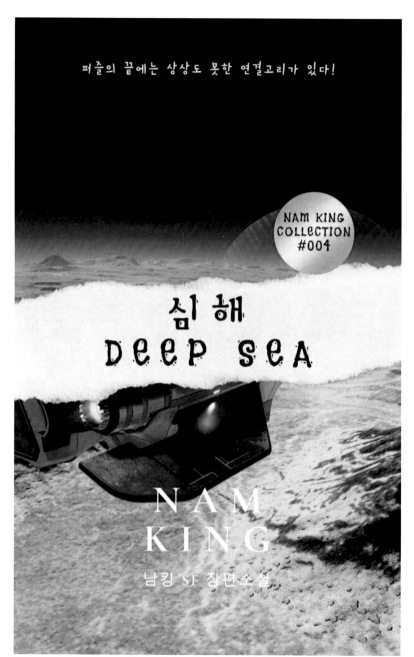

퍼즐의 끝에는 상상도 못한 연결고리가 있다!

NAM KING
COLLECTION
#004

심해
DEEP SEA

NAM
KING

남킹 SF 장편소설

파벨 예언서

떠오르는 위협

남킹 장편소설

남킹 컬렉션 #008

남 킹 컬 렉 션 # 0 0 1

그레고리 홀란디의
묘한 죽음

남킹 장편소설

그녀,   사형수

교도소 철망이 열리면 나는 심호흡을 한다. 이제 익숙한 곳이지만, 불안이 내면의 깊은 곳에 여전히 박혀있다. 동시에 흥분이 인다. 스스로 선택한 방문이지만 확신은 그다지 없다. 그저 나는 돈이 필요했다. 무명 작가. 문단에 이름 석 자는 일찍이 올렸지만, 대중을 사로잡지도, 비평가의 관심도 끌지 못했다. 그저 그러한 삶이 이어진다. 밥 먹고 살기 위해, 남들이 그다지 하고 싶지 않은 일을 해야만 한다.

일주일에 두 번 나는 교도소를 방문한다. 재소자들에게 작문을 가르친다. 글쓰기 수업. 주제는 없다. 그냥 자신이 쓰고 싶은 아무 글이나 쓴다. 나는 맞춤법, 띄어쓰기 같은 기본 문법만 도와준다. 그리고 그들의 작품에 대한 내 느낌을 간단하게 전달하면 된다. 사실 노력 대비 보수가 꽤 후한 편이다. 지원하는 작가도 많지 않다. 그러니 그저 감옥이라는 부담감만 떨쳐 버리면 꽤 오랫동안 우려먹을 수 있는 쏠쏠한 부업이다.

지난달에는, 언론플레이에 관심이 많은 교도소장의 노력으로, 모 방송 프로그램에도 잠시 소개가 되었다. 덕분에 창고 구석에 쌓여있던 나의 책들이, 오래간만에 기지개를 켰다는 소식도 들었다. 물론 잠깐 이지만.

사실, 사람들이 나의 글에 놀라움과 찬사를 보내던 젊은 시기가 있기는 있었다. 내가 천재라고 착각하던 시절 말이다. 신춘문예에 연속으로 당선하고 지방 신문에 칼럼 하나를 맡을 때였다. 적당한 보수와 힘들이지 않아도 되는 하루. 그리고 추종자들로 둘러싸인 나의 미래가 환각처럼 펼쳐지던 날들. 나는 서둘러 책을 냈다. 황금알을 낳는 거위인 줄 알았다. 한 편, 두 편, 세 편.

4개의 철문이 차례로 열리고 닫히기를 반복하며, 마침내 나는 도서관 옆 라운드 탁자가 놓인 방에 도착했다. 3개의 탁자에 10명의 수강생 시선이 일제히 내게로 몰린다. 모두 여자다. 같은 재소자 복장이지만, 화사한 분홍빛과 덤덤한 회색, 서늘함과 따스함, 늙음과 젊음, 무표정과 반항이 섞여 있다. 그들의 글도 마찬가지다. 단순하고 치졸한 신세 한탄부터, 지나간 날들에 대한 추억과 연민, 혹은 후회로 점철된 우스꽝스럽기 그지없는 고백, 세상에 대한 적개심, 배신과 따돌림, 불우한 숙명으로 이어지는 자조, 그저 시간 보내기용으로 묘사하는 적나라한 야설도 등장한다.

글의 수준은 낮지만 다들 진지하다. 나는 그들을 희망으로 인도하는 착한 거짓말을 한다.

"지난주보다 좋아졌군요."

"네, 많이 나아졌어요."

"표현이 풍부해졌어요."

"좋은 글이군요."

"마음에 닿는군요."

"다음 주가 더 기대됩니다."

****

1시간 반이 그렇게 끝났다. 하지만 끝이 아니다. 아직 30분이 남았다. 나는 다른 한 여자를 기다린다. 일반 재소자와 같이할 수 없는 여인. 사형수.

여자는, 처음이자 마지막으로, 남자 친구와 공모하여 강도질했다. 가족을 협박하여 돈을 갈취한 뒤, 불을 질렀다. 3명이 죽었다. 그녀의 의붓아버지와 이부동생들이었다.

방화는 우연이라고 변호사는 항변했다. 하지만 경찰은 트렁크에 난 신나 자국을 증거로 제시했다. 남자 친구의 차였다.

나는 다시 4개의 문을 통과한다. 일반 면회실을 지나 복도 끝, 정사각형의 골방에 도착한다. 장식이라곤 CCTV뿐인 온통 하얀 곳. 모든 모서리가 라운드로 된 탁자와 의자가 중앙에 있다. 나는 그곳에서 항상 그녀를 기다린다. 장기수 혹은 사형수 전용 면회실.

흥분이 밀려온다. 익숙하지만 늘 낯선 감정이 감싼다. 나는 그녀를 항상 생각한다. 어리석으리만큼 뜨거워진다.

그녀는 뭔가 특별한 것이 있다. 첫 만남부터 그랬다. 여자는 너무나 단순하고 해맑아 보였다. 마치 내가 사형수인 것처럼 느꼈다. 창백한 피부와 투명한 눈빛, 맑은 미소로 그녀는 낯선 이에게 말했다.

"아저씨와 섹스하고 싶어요."
"CCTV가 비추지 않는 좁은 공간이 있어요. 바로 저 구석이죠." 그녀는 열정에 사로잡힌 듯 단발을 흔들며 발그레한 볼을 부풀렸다.

그녀는 느긋하다. 마치 갇힌 공간을 부유(浮遊)하는 햇살 속의 먼지 같았다. 여자는 고사리 같은 손을 턱에 괴고는 끝없이 나를 바라본다. 나는 노트북을 펼치고 녹음기의 플레이 버튼을 누른다. 여자의 목소리가 일정한 속도로 천천히 흘러나온다. 나는 그녀를 자판에 담는다. 여자가 글을 남기는 유일한 방법. 그녀는 세 번이나 자살을 시도했다. 흉기가 될 수 있는 어떤 물건도 허락되지 않는다.

여자의 문장력은 놀랍다. 직선의 광선에 갇혔으나 빛보다 더 선명하게, 그녀가 선택한 단어가 이어지고 엮어진다. 그녀가 내게 내놓은 문장은 화려함을 감춘 응축과 포용이 뒤섞인 황홀한 습지처럼 부스스하다. 낙서와 무질서, 혼란스러운 메모 덩어리들이 뒤죽박죽인 상태로 질서정연하게 이어나간다. 혹은 느닷없이 거친 문장이 치열하고도 단순하게 불쑥 솟아오른다.

나는 그녀의 언어를 탐욕스러운 눈빛으로 쳐다본다. 갖고 싶은 문장들. 내가 늘 건사하고 싶었던 언어들이 보석처럼 빛나고 있다. 겨우한 장이 끝났는데 숨이 헉하고 찬다. 격렬한 연주가 끝난 음악가처럼 두근거린다. 나는 그녀를 쳐다본다.

"죽기 전에 도서관에 있는 모든 책을 뒤져 볼 생각이에요. 선생님."

"그냥 첫 장만 읽으면 감이 와요. 끝까지 읽어야 할지 말지."

"이번 주에만 벌써 서른 권 넘게 읽었어요. 물론 끝까지 읽은 책은 단 2권이죠. 양철북과 악마의 시."

그녀는 글이 주는 수혜의 병 속에 잠겨있다. 여자의 운명은 너무도 잔인하게, 죽음 앞에 비로소 삶의 가치를 내비친다.

나는 순간, 그녀가 사형수라는 것에 강한 질투심을 느낀다. 어차피 인간은 죽는다. 우리는 모두 그날을 알 수 없는 사형수다. 그녀는 애써 살기 위해 해야 할 의무에서 해방된, 어찌 보면 가장 자유로운 영혼이다. 삶을 온전히 자신에게로 맞추어 놓으면 된다.

나는 타협을 한다. 그녀는 완전히 나에게만 있다. 여자의 사형 집행일은 내 소설이 새롭게 태어나는 날이다. 나는 그녀의 재능으로 명예를 벌고, 그녀는 나로 인해, 사람들 속에 영원히 존재할 것이다. 세상 사람들이 소멸하기까지.

나는 그녀의 생각을 거두고 빈 녹음기를 건넨다. 그리고 그녀의 요구대로 구석으로 갔다. 그리고 거칠게 그녀의 옷을 벗긴다. 앙증맞은 입술에 나를 포갠다. 하찮은 내 몸뚱이를 계약의 징표로 바친다.

**거짓과 상상
혹은
죄와 벌**

남킹 장편소설

남킹 컬렉션 #002

남킹 컬렉션 #004

심해
deep ocean

남킹 SF 장편소설

다시 만나지 않기를

"다시 만나지 않았으면 좋겠네요." 여자는 작별을 고했다.

낮은 하늘. 적막한 복도. 모두가 사라진 공간에, 여운이 조용히 내려 앉는다.

남자는 멀어지는 여인의 뒷모습을 물끄러미 쳐다본다. 그리고 천천히 떨어지지 않는 발걸음을 옮긴다. 창백한 거리. 낙엽이 너절하게 뒹군다. 선명한 아쉬움이 덧없이 길게 걸려있다.

남자는 처량하게도 어기적거린다.

****

여자가 배시시 웃는다. 남자도 어색한 웃음을 짓는다. 작별한지 5주 만에 그들은 다시 만났다. 한적한 대기실. 10명도 채 되지 않는 응시생. 모두 흰 가운에 흰 모자를 쓰고 있다.

"공부 많이 하셨어요?" 여자가 민망한 표정으로 묻는다. 남자는 고 개를 젓는다.

"그쪽은요?" 여자도 고개를 설레설레 흔든다.

"이번에는 다시 만나지 않기를 정말 바랐는데…."

"그러게요…." 남자는 조리 도구가 가득한 큰 가방을 여자의 맞은편 책상 밑에 놓으며 속삭이듯 말했다.

"우리 이제 몇 번째인가요?"

"일곱 번째요." 여자는 남자의 귀에 최대한 바싹 다가가며 속삭였다.

"그러고 보니 우리 꽤 많이 떨어진 셈이네요." 남자가 슬픈 표정으로 그녀를 쳐다본다.

"그러게요." 여자는 민망한 듯 얼굴을 두 손으로 감싸며 시선을 돌린다.

"그래도 다시 보니 반갑네요." 남자는 진심을 얘기했다.

"저도요." 여자는 마음을 표현했다.

'시험 끝나고 가까운 카페에서 차라도 한잔하는 건 어떨까요?' 남자는 이렇게 묻고 싶었다.

'사실 오늘 만날 수 있기를 바랐어요.' 여자의 얼굴은 이렇게 표현했다.

남자는 어느 순간부터 일부러 오작(誤作)을 제출했다. 채를 썰어야 할 것을 편으로, 데쳐야 할 부분을 튀겨서 제출했다. 고명을 빼먹고, 훤히 알고 있는 요구사항을 지키지 않았다.

여자는 생각이 많고 손이 느렸다. 대부분 과제를 제시간에 제출하지 못하였다. 작품은 훌륭하였다. 그리고 어느 순간부터 느림에 고마움을 느꼈다.

****

남자는 앱에 뜬 '합격'이라는 표시에 눈을 의심했다.

"아 김일구 씨! 축하드립니다. 마침내 합격하셨군요. 사실 김일구 씨 제출작에는 약간의 오작이 있긴 있었지만, 조리사가 되고자 하는 그 열망을 우리 심사위원들이 높이 샀습니다. 거의 일 년이 다 되어 가잖아요, 불합격한 기간만…"
"아, 네 그럼 혹시 조미연 씨는?"
"아, 네. 뭐 다른 분의 합격 여부를 알려드릴 수는 없지만, 그분도 좋은 소식 받았을 겁니다. 시간은 조금 초과하였지만, 저희가 작품을 받았습니다. 뭐 아시다시피 그분도 워낙 열정적이신지라…"

남자는 천천히 자신의 핸드폰을 두려움에 내려놓았다.

남킹 컬렉션 #011

1월의 비

—————— 남킹 감성 소설집

남킹 컬렉션 #004

심해
deep ocean

남킹 SF 장편소설

바람개비 리본

남자는 오늘도 서점에 도착했다. 넓은 곳이지만 조명은 밝지 않았다. 그리고 항상 썰렁했다. 특히, 문학 코너는 늘 외로움이 배어 있었다. 소외된 책들이 책장에 가득했다. 한쪽 구석에 놓인 간이용 의자도 마찬가지로 쓸쓸했다.

남자는 언제부터인가 그곳에 앉기 시작했다. 딱히 책을 좋아하지도 문학에 빠지지도 않았지만, 그는 습관처럼 그곳에 앉아 오늘 구매할 책을 훑어보곤 하였다. 하지만 책의 내용을 깊이 있게 관찰하는 것은 아니었다. 오히려 고개를 들고 주위를 둘러보는 게 더 잦았다. 그는 비교적 저렴한 책을 좋아했다. 당연하게도 얇고 작은 시집을 주로 샀다.

"안녕하세요. 오늘도 오셨네요." 여자는 환한 미소와 함께, 그가 내민 책의 결제가 끝나자마자 묻지도 않고 포장하기 시작했다.
"아, 네…" 남자도 배시시 웃었다. 그는 여자의 손을 줄곧 쳐다봤다. 작고 가느다란 손가락이 능숙하게 포장지를 씌우고 각을 잡아 투명 테이프를 붙였다. 그리고 고른 색 리본을 적당한 길이로 잘라 책에 꼬아서 묶더니 어느새 바람개비 리본을 완성하였다.

책을 받아 든 남자는 힘겹게 문을 열고 거리로 나섰다. 떨어지지 않는 발걸음을 옮기며, 붉고 탁한 도시의 도로를 생경한 눈빛으로 쳐다봤다. 도로의 끝에는, 여전히 푸른 바다가 흐리게 담겨 있다. 섬의 끝에는 언제나 바다가 있었다. 그는 3년 전 이곳에 왔고, 눈만 들면 늘 바다가 곁에 있으므로 외로움을 달래곤 하였다.

그리고 남자는 어느 순간부터 바다에 그녀를 떠올리기 시작했다. 그리고 시간이 갈수록, 생각은 짙어지고 느낌은 무게를 더하였다. 그는 그녀의 미소와 덧니가 좋았고, 능숙한 손놀림이 사랑스러웠다. 그는 언제나 여자의 밋밋한 손에 실반지라도 끼워주고 싶은 충동을 느꼈다. 하지만 그가 그녀에게 던진 말은 <이거 포장해주세요.>뿐이었다. 그마저도 이젠 하지 않게 되었다.

남자는, 섬에서 가장 큰 대형마트를 건설하는 현장에서 근무했다. 가난한 일곱 형제의 맏이였던 그는, 학자금 마련을 위해 내국인들이 꺼리는 건설직에 뛰어들었고, 타고난 성실성과 포용력을 인정받아 비교적 빠르게 관리자가 되었다. 하지만 <노가다>로 깎아내리는 우리 사회의 통념은 그를 외로운 이방인으로 만들어버렸다. 그는 건설 현장이 있는 전국을 돌아다녔다. 낯선 곳에 낯선 사람으로 쓸쓸한 삶을 살았다. 어느덧 그는 이제 마흔을 바라보게 되었다.

여자는 시간이 늘 천천히 간다고 생각했다. 오전 10시부터 밤 10시까지, 그녀는 서점 계산대에 앉아, 빠르게 지나가는 수많은 행인을 지켜보았다. 그들은 늘 바삐 어딘가로 오고 갔다. 밖은 세상이고 안은 꿈이라고 생각했다. 혹은, 바깥은 현재고 책방은 과거처럼 느끼기도 하였다. 그리고 점점 꿈에, 과거에 머문 이가 줄었다.

서점 문을 삐죽 열고 들어오는 이례적인 행위의 낯선 인간. 그들이 계산대 위에 올려놓는 책은 친숙한 참고서나 학습지였다. 혹은 잘 포장된 재테크, 우울한 현대인의 가벼운 이야기, 유명인의 얼굴이 새겨진 익숙한 책이었다. 적어도, 낯선 이들 사이, 검게 탄 모습의 그가, 투박한 손으로 내민 자그마한 시집을 보기 전까지는 말이다.

남자는 어느새 매일 서점에 머물렀다. 시간이 느린 곳. 과거 혹은 꿈의 세상. 적어도 느긋함 혹은 게으름이 용서되는 공간. 여자의 시선은 이제 그의 모든 곳에 닿았다. 호기심은 궁금점으로, 그리고 관심으로 마침내 끌림으로 변하였다. 어둡고 구석진 문학 코너를 서성거리는 낡은 작업복. 마침내, 그가 작고 가벼운 책을 들고 그녀에게 다가올 때면, 그녀는 무겁게 반응하기 시작했다. 심장이 뛰고 흥분이 다가왔다.

사랑의 기쁨이 그녀를 물들였다. 여자는 내내 기다리고 남자는 어김 없이 나타났다. 그렇게 봄이 가고 여름이 갔다. 마침내 대형마트가 완공되었다. 남자는 조급해졌다. 섬을 떠날 때가 된 것이다. 그는 선물을 준비했다. 처음으로 고백을 할 생각이었다.

하지만 그녀가 사라졌다. 낯선 청년이 어두운 서점을 지키고 있었다. 수소문하였지만 아무도 그녀의 행방을 몰랐다. 그가 섬에서 보낸 마지막 며칠은 그렇게 가뭇없이 흘러가 버렸다.

****

여자는 밝고 크고 화려하기 그지없는 서점에서 하염없이 그를 기다렸다. 하지만 낯선 이들만 가득했다. 그리움은 커지고, 그만큼 시간은 초조하게 흘렀다. 어둠이 투명한 유리를 물들이는 시간이 점점 고통으로 다가왔다.

"매니저님, 여기 한번 와보세요!" 손님이 사라진 텅 빈 대형 서점을 막 나서려는 순간, 미화 직원이 그녀에게 손짓했다.

계단 밑 간이 창고의 문이 열려있었다. 그곳에는 포장을 뜯지 않은 책들이 공간을 가득 메우고 있었다. 모두 바람개비 리본이 묶여 있었다.

그녀는 급히 책 한 권을 집어 포장을 뜯었다. 책갈피가 뚝 떨어졌다. 익숙한 글씨. 그녀가 정성을 다해 적어 놓은, 새 직장 주소와 그녀의 이름이 적혀있었다.

책갈피에 눈물이 떨어졌다.

남킹 컬렉션 #011

1월의 비

남킹 감성 소설집

바다가 있는 사진

프롤로그

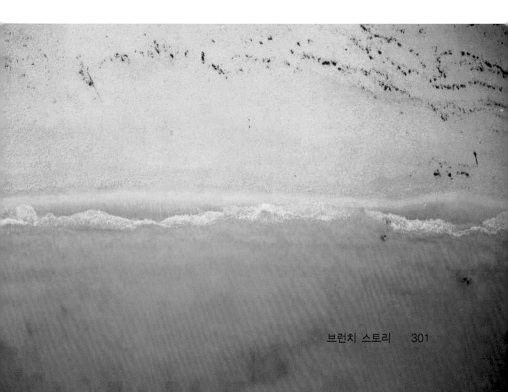

하늘을 닮아 푸르게 상처 난 바다.

여인은 바다에 사진을 새기고 나는 사진에 바다를 간직한다.

프롤로그

택시는 오전 8시 정각에 도착했다. 나는 2층, 내 방 창가에서 이 광경을 지켜봤다. 그리고 잠깐이나마, 휴대전화의 벨 소리를 기대했다. 하지만 운전사는 아무런 행동을 취하지 않았다. 그는 그냥 멍하니 운전석에 앉아 있었다. 나는 어쩔 수 없이 짐가방을 들고 계단을 통하여 1층으로 내려갔다.

운전사가 나를 한번 힐끗 쳐다보더니, 고개를 숙여 뭔가를 하였다.

그러자 트렁크가 자동으로 서서히 올라갔다. 그는 아주 귀찮은 듯, 천천히 문을 열고 나와, 나의 짐 일부를 받아 트렁크에 실었다. 그는 적어도 육십은 넘어 보였다. 머리카락은 대부분 빠져 있고 턱수염은 은색으로 덥수룩했다. 퀭한 눈과 무표정한 모습 속에 전형적인 독일인의 무뚝뚝함이 묻어났다. 나는 직감적으로 편안함을 느꼈다.

나의 경험에 비추어 보건대, 이런 사람은 공항으로 가는 내내 말 한마디 건네지 않을 타입이다. 그리고 나는 솔직히, 지금 누구하고 말할 기분이 아니다. 더구나 낯선 사람이라면 더더욱 그렇다. 나는 딸들과 작별 인사를 나누고 차에 올랐다.

흐린 하늘이었다. 택시가 5번 아우토반으로 접어들었을 때, 빗방울이 창에 톡톡 부딪히며 빠르게 옆으로 흘러내렸다. 도로는 한산했고, 양옆으로 펼쳐진 완만한 언덕에는 노란 유채꽃이 눈이 부시도록 펼쳐졌다. 매년 보는 익숙한 광경이지만 볼 때마다 감탄이 올라왔다.

독일에 온 그해 겨울, 어렵게 구한 월세방에서, 나는 지겹도록 많은 눈을 맞았다. 자고 나면 온통 하얀 세상. 밤이 이슥해져도 환하게 밝은 풍경. 마치 동화 속 산타 마을 같은 광경을 지켜보면서, 나는 다가올 봄에 펼쳐질 금빛 세상은 전혀 예상하지 못했다. 그것도 내 집

베란다 바로 앞에서 말이다.

적당히 외진 곳에 있는 나의 보금자리는, 처음에는 밀밭 한가운데라고 생각했는데, 어느 순간 옥수수밭이 되었다가, 별안간 유채밭으로 둔갑하기도 하였다. 그렇게 서른 번도 넘는 봄이 빠르게 스쳐 갔다.

그러는 사이, 애들은 성인이 되어, 각자의 짝을 만나 독립하였으며, 나는 재작년에 은퇴하였다. 내가 은퇴를 결심한 가장 큰 이유는 아내의 병세가 절망적이기 때문이었다. 그리고 작년 봄, 유채 향기가 절정을 이루던 즈음에, 결국 내 곁을 떠났다.

아내는 마지막에 나를 전혀 알아보지 못했다. 30년 가까이 같이 살았지만, 그녀는 낯선 이를 대하듯 멀뚱멀뚱한 눈으로 쳐다보기만 하였다. 나는 그때, 차라리 잘된 일이라고 생각했다. 만약 아내가 눈물을 흘리며 떠났다면, 솔직히 그 고통을 극복할 자신이 없었다. 그녀는 완전히 어린애가 되어, 잠을 자듯 편안한 표정으로 숨을 거뒀다.

남킹 컬렉션 #003

신의 땅 물의 꽃

남킹 판타지 SF

남킹 장편소설

Nam King

NOVELIST

바다가 있는 사진

1.

나는 아내가 처음 사무실 문을 열고 들어온 날을 또렷이 기억한다. 독일에 머문 지 3년째였다. 단출하기 이를 데 없는 회사의 영업과장 으로 진급한 지 얼마 되지 않는 날이었다. 그 당시 회사는 독일어와 불어, 영어를 능수능란하게 통역할 수 있는 외국인을 오랫동안 구하 고 있었다.

나는 금발에 파란 눈, 육중한 몸매의 통역사를 예상했었다. 하지만 사무실에 모습을 드러낸 여인은 전형적인 아시아인이었다. 자그마하 고 비쩍 마른 외형에, 막 휴가에서 돌아온 듯, 까맣게 탄 얼굴을 하 고 있었다.

나는 당황함을 감추지 못한 채, 급히 그녀의 이력서를 다시 훑어봤 다. 하지만 그녀의 이름뿐만 아니라 나머지 내용에서 한국인 혹은 아시아계라는 단서가 될 만한 어떤 내용도 발견할 수 없었다. 그녀는 프랑스에서 성장하였으며, 독일에서 대학을 나와, 최근까지 영국에 거주한 것으로 되어 있었다.

그녀는 이런 상황을 당연히 예상한 듯 유창한 독일어로 자신의 상황을 설명하였다. 내가 잘 알아듣지 못하자, 이번에는 영국식 영어로 재차 설명하였다. 자신은 한국에서 태어났으나, 다섯 살 때 프랑스로 입양되었으며, 자란 곳이 독일과 국경을 접한 <알자스-로렌> 지역인데, 이곳은 한때 독일 점령지였기에, 자연스레 독일어에 능통하다는 거였다. 그리고 대학 졸업 후, 최근 약 3년 동안 잉글랜드와 스코틀랜드 그리고 아일랜드 전역에 여행하듯 두루 살았다고 하였다.

"많이 돌아다녀야 할 텐데 괜찮을까요?" 나의 첫 질문이었다.
"그래서 지원했어요."

우리는 그녀의 기대에 호응하듯 유럽 전역을 구석구석 돌아다녔다. 공업용 다이아몬드를 이용한 절단 혹은 연마 제품을 유럽의 기업체에 팔러 다닌 것이다. 한 달에 이십일 정도는 길에서 보냈다. 가까운 곳은 차로, 먼 곳은 비행기로 다녔다. 먼 곳에 갈 때가 더 많았다. 어느새 프랑크푸르트 공항이 집처럼 편안하고 익숙한 곳이 되었다.

처음 두 달 동안은 호텔 방을 따로 잡았다. 그러던 어느 날, 핀란드의 수도 헬싱키에서 차로 2시간을 달려 나타난 한적한 외곽의 시골길에 우리는 차를 멈췄다. 울창한 숲에 비교해 아주 작은 팻말이 이곳이 공원 입구라는 사실을 알려줬다. 우리는 막 계약을 끝낸 상태라 홀가분한 마음으로 이정표를 따라 걸었다. 하늘을 덮을 듯, 높은 자작나무 사이로 좁은 길이 끝도 없이 나타났다.

얼마 지나지 않아 처녀림의 호수가 그림처럼 눈앞에 펼쳐졌다. 우리는 마주 보고 미소를 보냈다. 행복감이 몰려왔다. 세상은 너무도 아름답고 내 곁의 여인은 주체할 수 없을 정도로 사랑스러웠다. 호수길을 따라 온갖 모양의 버섯, 작고 달콤한 산딸기, 이름을 알 수 없는 각종 베리들이 행인을 유혹하였다. 그녀는 익숙한 듯, 산딸기와 베리를 따서 한 움큼 내게 내밀었다.

우리는 서로의 이가 까매지는 것을 지켜봤다. 저절로 웃음이 터져 나왔다. 더는 욕망의 랩소디를 숨길 수 없었다. 나는 그녀를 향한 나의 주체 할 수 없는 끌림을 묘파하고 말았다. 아내의 손을 처음 잡았다. 그리고 간절한 눈으로 그녀를 쳐다봤다. 그날 이후, 우리는 호텔 방을 하나만 사용했다.

남킹 컬렉션 #011

1월의 비

남킹 감성 소설집

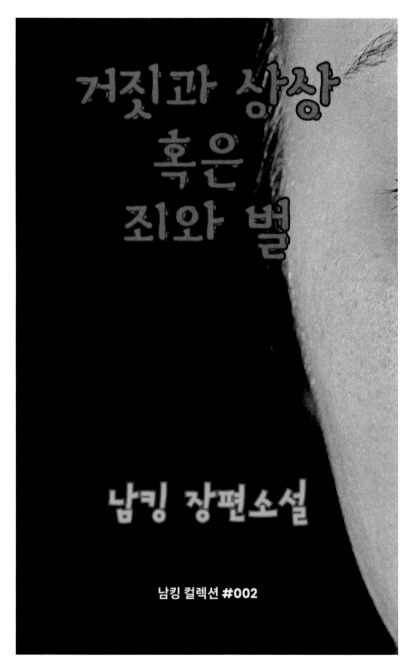

거짓과 상상
혹은
죄와 벌

남킹 장편소설

남킹 컬렉션 #002

바다가 있는 사진

2

2.

프랑크푸르트 공항까지는 채 20분이 걸리지 않았다. 가는 동안 나는 몇 번이나 울컥거리며 눈물을 쏟았지만, 예상대로 운전사는 내게 눈길 한번 주지 않았다. 결국, 우리는 그 흔한 인사말 <당케>라는 말 한마디 없이 헤어졌다. 덕분에 나는 팁을 아꼈다. 그리고 차 바닥에 흘린 콧물에 대한 양심의 가책도 느끼지 않았다.

빗줄기는 더욱 굵어졌다. 하지만 나는 천천히 여행용 가방을 끌었다. 이마와 얼굴, 어깨에 쏟아지는 빗물이 차가웠지만 따스하다고 느꼈다. 고개를 들어 빗물에 흐린 눈으로 하늘을 쳐다봤다. 시멘트 빛 하늘 사이로, 항공기들이 짙은 연무를 달고 각자의 방향으로 흩어졌다. 어쩌면 이제 이 땅에서의 마지막 연이 끝나가고 있었다. 한줄기 회오리바람이 사정없이 뺨을 갈기고 달아났다. 나는 폐부 깊숙이 공기를 들이마셨다. 마치 담아두기라도 하듯.

익숙한 곳이지만 오랜만에 공항에 왔다. 하지만 달라진 곳이 별반 없으므로 여전히 안락하고 느긋했다. 30년간 몸에 착 달라붙은 습관대로, 엘리베이터와 에스컬레이터를 번갈아 타고 전망대로 올라가, 맥도날드에서 값싼 커피를 주문했다. 그리고 한 층 내려와 서점 앞 가판대에서 신문을 사고, 다시 내려와 출국 절차를 밟았다.

수속을 마친 나는, 독일에서의 마지막 문자를 딸들에게 보내고, 홍콩 경유 제주도행 비행기에 몸을 실었다. 내 나이 스물에 홀로 섬을 떠난 나는, 서른에 한국을 떠났고, 육십이 넘어 다시 혼자 고향 섬으로 돌아가는 것이다. 그런데 마치 며칠 만에 가는 듯한 느낌이었다. 어머니의 배웅을 받으며 공항행 버스에 올라탄 게 마치 엊그제처럼 선명하다. 무수하게 많은 초록색 나뭇잎들이 차창을 스쳤고 시리도록 하얀빛이 도로에 가득하였다.

돌아보면, 사랑, 청춘, 미래, 기대, 희망 같은, 딱히 정의하지 않아도 설레는 단어들 속에 싸여 있었던 시절이었다. 하지만 이제 나는 죽음, 불안함, 늙음, 그리움, 후회, 빈뇨증과 강박신경증을 안고 돌아왔다. 내 앞에 드리워진 어슴푸레한 땅거미를 보는 것이다.

비행기는 천천히 움직이며 활주로 출발선으로 들어섰다. 어느새 비는 그치고, 설핏 밝은 햇빛이 보이는가 싶더니 짙은 안개가 몰려왔다. 변덕스럽기 짝이 없는 독일 날씨는 떠나는 날까지 기대를 저버리지 않았다. 삽시간에 세상이 회색으로 덧칠해졌다. 바람과 거친 빗방울이 거세게 창을 두드린 공항 대기실에서의 불안한 기분을 생각하면, 지금은 마치 시간 여행을 떠나는 듯 몽환답기까지 하였다.

점멸등이 길쭉하게 세로로 반짝이며 흐린 시야에 잠시 들어왔다 이내 사라졌다. 공항 터미널 빌딩은 어른거리는 흔적으로만 남아 서서히 뒤로 물러났다. 이윽고 지독한 굉음이 시작되었다. 기체는 빨라지고 동시에 흔들렸다. 그리고 나의 어깨도 등받이에 찰싹 달라붙었다. 몸은 기울어지고 긴장감이 솟구쳤다. 이제 적응할 때도 되었건만, 언제나 비행은 두려움으로 시작하였다.

얼마 지나지 않아 나는 구름 위에 올라섰다. 그곳은 평온하기 그지없어 보였다. 조금 전의 혼란스러움을 생각하면 계면쩍기까지 하였다.

떠날 결심

남킹 미니픽션

남킹 컬렉션 #009

파벨 예언서

떠오르는 위협

남킹 장편소설

남킹 컬렉션 #008

바다가 있는 사진

3

3.

나는 내 삶의 에필로그를 고향 섬에서 그려내기로 무수히 작정했다. 비릿한 바람결에 언덕을 하나만 넘어도 짙푸른 바다가 눈부시게 펼쳐진 곳. 그 바다에 점같이 박혀있는 크고 작은 배들. 바람과 갈매기. 굳이 설렐 것 없이 늘 눈만 들면, 내 앞에 놓인 투명한 하늘. 그 하늘이 맞닿은 같은 색의 바다.

나는 수평선 위아래로 엷게 펼쳐진 구름을 본다. 그리고 바닷냄새. 그 냄새는 세월이 가면 갈수록 잊히기는커녕, 더욱 두텁고 딱딱하게 내 그리움의 생채기에 더하였다.

그리고 바다가 온전히 푸름과 붉음으로만 대비되는 동터오는 여명. 그 새벽의 스산한 바람이 손바닥만 한 창을 토닥토닥 두드리면, 나는 잠결에, 어른거리는 꿈 자락을 뒤로한 채, 불어 터진 오줌보를 부여잡고, 비실거리며 꿀렁거리는 비닐 장판에 놓인 요강을 찾았다.

그때쯤이면, 아버지는 이미 집을 비웠고, 어머니는 부엌에서 나무 타는 냄새로, 또 하루를 시작하였다. 타닥타닥 타는 소리. 그르렁 가마솥 뚜껑 여닫는 소리. 모락모락 피어오른 구수한 밥 냄새. 나는 누운 채, 가려운 엉덩이를 손으로 긁적이며 입맛을 다신다.

학교가 파하면 마을 안길을 걸어 남루한 옷의 친구들과 포구에 닿아, 바닷바람에 꾸덕꾸덕 말라가는 생선 비린내에 취하고, 일렁이는 물결에, 흔들거리는 돛단배에 어지러움을 더해도, 검은 돌 들춰내어 황급히 달아나는 엄지손톱만 한 게나 보말을 잡아 빈 도시락에 한가득 채우고선, 애당초 슬픔이란 존재 하지도 않는 듯이 까불고 장난치며 보내면, 어느새 바람은 세지고, 따갑기만 하던 햇살도 비실대면, 그제야 생각난 듯 서로의 집으로 흩어졌다.

나의 유년 시절이 오롯이 아로새겨져 있는 곳으로, 긴 우회 끝에 결국, 나는 돌아가고 있다. 팽팽했던 청년은 이제 목덜미에 주름살이 깊게 팬 중년으로 변했다. 다리는 가늘어지고 배는 볼록 나왔다. 눈은 흐리고 굵은 돋보기안경이 걸쳐졌다. 이마에는 따가운 햇볕이 그려 놓은 세월의 흔적이 선명하다. 청년의 얼굴은 사진에만 존재한다.

그리고 변한 건 내 고향도 마찬가지다. 나의 동네는 더는 내 기억을 확인시켜 줄 만큼 변하지 않은 곳이 남아 있지 않았다. 사실 느꺼운 기분에 앞서 이질감이 맴돌았다. 나는 고향 땅을 밟지 않고도 구글 맵을 통하여 내 유년 시절의 마을을 이미 샅샅이 뒤졌다.

내가 살던 집은 회색과 갈색으로 치장한 세련된 호텔로 바뀌었다. 사실 이곳이 내 집터라는 것을, 위성 사진과 주변 사진을 수십 번 확인한 끝에 겨우 알아챘다. 내 집을 둘러 병풍처럼 늘어선 솔숲은 절반은 깎여 잔디가 되었고, 나머지는 호텔을 수식하는 조명을 치렁치렁 단 모습으로 장식되었다.

호텔 입구 테라스에 목재 원형 테이블과 의자 그리고 파라솔이 일렬로 쭉 늘어선 광경이나, 단아한 색을 입힌 발코니의 사진은, 내가 수십 년간 떠돌던 이국땅의 풍경과 똑 닮아 있었다. 주변 모습도 별반 다르지 않았다. 도대체 바다와 산을 제외하고 바뀌지 않은 모습을 찾기란 거의 불가능해 보였다.

그런데도 돌아가고 싶었다. 낯선 곳에 낯선 얼굴의 내가, 맞닥뜨릴 기대와 우려를 뛰어넘는, 알 수 없는 끌림이 있었다. 아니 어쩌면 알 수 있을지도 모르겠다. 내 마음 한쪽을 회한의 그리움으로 항상 무겁게 눌러주던, 처음으로 마음이 가던 여인. 바다를 배경으로 그녀는 활짝 웃고 있었다.

남킹 판타지 소설집

하니은 매화

남킹 컬렉션 #015

떠날 결심

남킹 미니픽션

남킹 컬렉션 #009

NAM KING

바다가 있는 사진

4

4.

비행기는 이른 아침에 홍콩에 도착했다. 둥근 창으로 무거운 하늘이 보였다. 구름이 산 정상을 모두 덮은 채 게으르게 움직였다. 언제든 우르릉하며 비가 쏟아질 기세였다. 산 아래는 흰색의 아파트들이 우후죽순 솟아 있었다. 높은 산과 아파트. 서울과 많이 닮았다. 완만한 산과 낮은 집들로 대부분 채워진, 유럽을 떠났다는 느낌이 이제 확연히 다가왔다.

트랩에 내려서자 매캐한 경유 냄새가 습하고 무더운 공기에 묻어왔다. 홍콩은 처음이었다. 유럽대륙 구석구석, 아메리카, 심지어 아프리카와 중동 지역도 방문하였지만 정작 내 나라 근처 지역을 방문한 것은 이번이 처음이다. 그것도 환승을 위해 잠시 3시간 정도 머무는 것이니, 엄밀히 방문이라고 하기도 어렵다.

홍콩, 아니 중국은 늘 한번은 방문하고 싶었다. 중국 음식을 유난히 좋아했던 것도 한몫했을 터이다. 유년 시절, 생일날 같은 특별한 날에나 맛볼 수 있었던 짜장면. 그 오묘한 맛의 검은 음식. 잠자리에 들 때면, 짜장면을 매일 먹을 수 있을 정도로 부자가 되고 싶다는 간절함을 되뇌곤 하였다. 나이가 들수록 짜장면은 간짜장으로, 다시 삼선짜장으로, 결국에는 탕수육으로 바뀌었지만, 중화요리에 대한 식탐만큼은 식을 줄 몰랐다.

그 탓일까? 어느 날 극심한 복통으로 찾은 병원에서 쓸개염을 진단받고 결국 절제하기에 이르렀다. 하지만 기름진 음식에 대한 탐욕은 변하지 않았다. 독일에 처음 도착한 날, 그날 저녁도 한국 식당에서 짜장면을 먹었으니 말이다. 10유로나 하는 턱없이 비싼 값에도 불구하고.

하지만 정작 중국으로 이끄는 힘은 중국 화폐 20위안에 그려진 <구이린> 때문이었다. 결혼 2년 후, 우리는 뒤늦게 두바이로 신혼여행을 떠났다. 주말을 끼어 겨우 5일 정도 여유가 있었던 우리는, 아직 가보지 않은 가장 가까운 곳으로 선택했다. 그리고 여행 사흘째 되던 날, 사막 투어에 지친 나는 본능적으로 기름진 음식을 찾았다.

우리는 아랍 전통 복장을 한 호텔리어의 안내에 따라 격자무늬가 선명한 대리석 바닥을 따라 걸었다. 따각따각 명랑한 소리가 발밑에서 울렸다. 창 너머에는 무성한 열대 덤불이 보였다. 이 도시는 마치 사치 속에 푹 빠진 듯하였다. 천장은 온통 반짝이는 유리였다. 그 광채 속에 얼빠진 모습으로 헤 웃고 있는 내가 담겼다.

호텔과 연결된 중국 식당은 크고 화려하기가 이를 데 없었다. 중국 박물관을 그대로 옮겨 놓은 듯했다. 화려함과 사치, 향락이 나의 밖에, 주위에, 앞에 머물렀다. 수려한 문양이 새겨진 중국 전통의상 치파오로 멋을 낸 안내원이 창가에 있는 식탁으로 우리를 이끌었다. 주문 후 아내는 나의 손을 꼭 잡고 세상에서 가장 편안한 미소를 보냈다. 초록색 입욕제를 푼 목욕물에서 나던 향기가 흘렀다.

반짝이는 연녹색 식기와 그 속을 채운 탐스러운 음식들이 차려졌다. 공간을 지배하는 음식 냄새는 꿈처럼 몽롱했다. 틀림없이 조금 전 기억은 황량한 사막이었다. 밀가루만큼 부드러운 모래가 이글거리는 태양과 바람에 부서져 끈적거리는 피부에 달라붙어 불편을 호소하고 있었다. 새로움에 대한 탄성은 금세 유쾌하지 않은 생소함에 자리를 내줬다. 차로 도시를 조금만 벗어나도 온통 모래만 있는 곳. 마치 아무 데도 아닌 것이 끝없이 펼쳐져, 무와 유, 가능성과 의아함, 비밀과 모순이 혼재한 것처럼 느껴졌다.

그러던 어느 순간, 나는 식탁의 오른쪽 벽면을 넓게 차지한, 수묵화 같은 사진에 정신이 쏠렸다. 마치 판타지 영화에서나 등장하는 모습이었다. 병풍처럼 펼쳐진 바위 절벽과 기괴하게 솟아 있는 봉우리들. 전면에 굽이굽이 흐르는 듯 멈춘 듯한 강에는, 낮게 뜨인 운무로 인해 한없이 신비로웠다. 그리고 길고 좁은 쪽배에 창이 넓은 밀짚모자를 쓴 채 외로이 노를 젓는 어부. 온전히 자연 속에 묻힌 듯한 모습에 절로 감탄이 쏟아졌다.

하지만 정작 나의 마음을 온통 사로잡은 것은 사진 옆에 새겨진 한 자였다. 鷄林 계림. 오래전부터 알고 있던 지명이었다.

"오 멋진 곳이네요. 우리 다음에 저기 한번 가요." 아내가 나의 시선이 멈춘 곳을 훔쳐보며 말했다.

"그러게, 어릴 때 멋있는 곳이라는 얘기는 많이 들었는데, 이렇게 아름다울 거라고는 상상도 못 했네."

"아 그, 옆집에 중국 식당 한다는 사람?"

"응, 계림 출신이라고 맨날 자랑하곤 했거든."

"자랑할 만했네요." 아내가 활짝 웃으며 말했다.

남킹 컬렉션 #004

심해
deep ocean

남킹 SF 장편소설

거짓과 상상
혹은
죄와 벌

남킹 장편소설

남킹 컬렉션 #002

바다가 있는 사진

5

5.

2시간을 기다린 끝에 홍콩발 제주도행 비행기에 탑승했다. 나의 자리는 일반석 맨 앞줄 복도 쪽이다. 언제부터인가 고정석처럼 앞줄 복도 쪽만 예약하였다. 창가 쪽을 좋아함에도 불구하고. 가장 큰 이유는 전립선이 비대해지면서 생긴 잦은 빈뇨 때문이다. 조금이라도 화장실 가까이, 그러면서 옆 승객에게 불편을 주지 않는 자리가 점점 필요해진 것이다.

또 한 가지 이유를 굳이 들자면, <관찰의 기쁨>이라고 할 수 있다. 나는 언제부터인가 사람들을 유심히 쳐다보게 되었다. 나는 흐르는 인파에 끼어들어 낯선 혼잡을 즐기듯 바라보거나, 카페나 식당 혹은 테라스에 앉아, 늦은 오후의 햇살을 받으며 몇 시간이고 행인들을 쳐다보곤 하였다. 항공기 내에서도 예외는 아니었다. 나는 승무원들과 그들이 상대하는 승객들의 행동을 유심히 쳐다보고 오가는 말들은 경청하곤 했다. 언제부터 이런 버릇이 생겼는지는 알 수 없다. 확실한 건 내 가족이 하나둘 곁을 떠나면서, 관찰의 버릇은 점점 더 늘어났고 집요해졌으며, 이제는 하루 중 많은 시간을 이렇게 보낸다는 것이다.

나는 내 시야 속으로 들어온 그들을 보며, 그들의 인생을 상상한다. 그들의 웃음을 지켜보며 사랑을 추측하고, 무심한 표정에서 삶의 고통을 살펴보고, 오가는 말들에서 사람들의 관계를 짐작하곤 하였다. 그리고 추측한 그들의 인생을, 나의 기억 속에 채워 넣으며 희로애락을 담은 이야기를 지어내곤 하였다. 나는 내 삶의 마지막 날에, 내가 상상한 인생 속에 둘러싸인 채 잠들고 싶다는 생각을 종종 하곤 했다.

기내는 빈자리 하나 없이 승객들로 가득하였고, 공간은 장터에 온 듯한 소음으로 채워졌다. 대부분 중국인 관광객처럼 보였다. 그들은 대부분 수수하고 가벼운 옷차림에, 기대나 흥분 혹은 즐거움을 머금고 있었다. 알아들을 수는 없으나, 연인이나 가족, 친구처럼, 친숙한 사이에서 오가는 가벼운 톤의 대화들이 나를 미소 짓게 하였다.

내 옆에는 중년의 남자와 그의 어린 자식 둘이 나란히 앉았다. 어린이들은 기내가 익숙한 듯, 이어폰을 끼고 전면에 붙은 태블릿 PC를 손으로 꾹꾹 눌러 그들이 원하는 애니메이션에 금방 빠져 버렸다.

내 옆의 남자는 신발을 벗고, 미리 준비한 실내화를 신더니, 비행기
가 이륙하기 전인데도, 비스듬히 누워 눈을 감았다.

나는 수도 없이 많은 종류의 비행기를 타고, 기대치보다 훨씬 많은
시간을 공중에 떠 있었지만, 여전히 이륙과 착륙을 준비하는 시간에
는 긴장을 멈출 수가 없다. 특히 이륙 때는 나도 모르게 등에서 식
은땀이 흐르고, 마치 물에 빠지기라도 한 듯, 좌석 손잡이를 손으로
꽉 움켜쥐곤 하였다. 아내는 언제나 그런 나의 모습을 신기해하고
따뜻한 위로를 보내곤 하였다. 결혼 전, 그러니까 그녀의 입사 후 첫
해외 출장으로, 영국 런던행 비행기에 올랐을 때였다. 이륙 전, 딱딱
하게 굳어가는 나의 표정을 처음 확인한 그녀는, 작고 깡마른 손을
나의 어깨에 살포시 얹고는, 마치 어린 아들을 쳐다보는 어머니 같
은 눈길을 보내 주었다.

나는 그 순간, 그녀의 작은 품속에 푹 파묻고 싶다는 강렬한 욕구를
느꼈다. 그녀의 작은 손짓 하나만으로, 내 속을 채우던 불안이 사라
지며 미처 경험하지 못한 안도감이 생기는 것을 느낄 수 있었기 때
문이었다. 나는 그때 무엇인가를 깨달았다. 고향을 떠난 후, 내가 얼
마나 사랑을 갈구하는지를. 마치 한파 속에 부드럽고 두툼한 외투를
건네받은 듯하였다. 나는 영업전문가로서, 치열한 세상에서 처절하게
뛰면서 살았다. 나는 스스로 냉소적이며 속물적인 인간으로 나를 포

장하고, 그런 기만적 확신 속에, 세상을 무의미하게 바라보곤 하였다.

나는 주고받는 계산속의 나에게 길들었고, 현대인이라면 이미 흔한 냉랭함을 넘어 경쟁자의 고통을 은근히 기대하는 일종의 사디즘적인 단계로 진행하고 있음을, 가끔 놀라듯, 자신을 바라보곤 하였다. 홀로 자신의 양심을 후벼 파는 그런 단계 말이다. 어쩌면 자신을 냉혈한으로 만드는 절망적인 냉담함 속에 묻혀 있었는지도 모르겠다.

하지만 나는 이제 그녀의 손에서 전해진 따스함에, 그 다정함의 창을 통해 그 너머의 사랑을 보았다.

남킹 판타지 소설집

하니은 매화

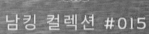

남킹 컬렉션 #015

남킹 컬렉션 #003

신의 땅 불의 꽃

남킹 판타지 SF

남킹 장편소설

바다가 있는 사진

6

6.

바로 앞 출구 옆에, 여승무원 한 명이 벽에서 간이 의자를 빼더니 앉았다. 안전띠를 한 그녀는 잠시 생각에 잠기는 듯하더니 이내 시선을 승객 쪽으로 돌렸다. 나와 눈이 마주치자 입꼬리를 살짝 올리며 눈웃음으로 대답했다.

얼마 지나지 않아 머리 위 노란 경고등이 꺼졌다. 엔진 소리에 잠시 한눈을 팔았다. 작은 타원형 창으로 반짝이는 햇살이 건너와 실내를 밝히며 아주 천천히 움직였다. 각자의 자리에 앉았던 승무원들은 안전띠를 풀고 익숙하고 빠른 몸놀림으로 기내식을 준비하기 시작했다. 중저음의 엔진 소리 속에 아이 울음과 승무원의 대화 소리가 묻어났다. 간이 키친 영역을 표시하는 커튼이 들락거리는 승무원 사이에 춤을 춘다.

"안녕하세요, 고객님, 저희 항공을 애용해주셔서 감사합니다. 저는 한국인 승무원 송안나입니다.” 갑자기 여승무원 한 명이 내게 성큼 다가오더니 유창한 한국말로 인사를 하였다. 예상하지 못한 상황이었다. 조금 전 내게 미소를 띠던 그녀였다. 홍콩 항공기에 한국인 승무원이 있을 줄은. 그런데 사실 더 놀란 거는 내가 한국 사람이라는 것을 어떻게 알았을까 하는 거였다. 하지만 나의 의문은 금방 풀어졌다.

“고객님이 탑승하신 분 중 유일한 한국인이십니다.” 나는 적잖게 놀라지 않을 수 없었다. 실내는 빈자리가 없이 꽉 들어찼다. ‘그럼, 여기 탄 승객들이 모두 중국인이란 말인가?’ 제주도에 중국인 관광객들이 몰린다는 소문을 이제 현실로 실감하게 되었다.

그녀는 내게 기내식 메뉴를 보여주었다. 나는 딤섬을 포함한 메뉴를 선택했다. 돌아서는 모습을 시작으로, 나의 시선은 그녀를 쫓기 시작했다. 그녀의 표정에 왠지 모를 정감이 느껴졌다. ‘동포라서 그런가?’ 하지만 외양에서 다가오는 느낌은 다른 승무원과 별반 다르지 않았다. 미소와 행동, 표정과 걸음에서, 이성으로 분석할 수 없는, 묘한 끌림 같은 것을 감지하였는지도 모르겠다. 아무튼, 나의 시선은 온통 그녀에게 쏠리고 말았다.

그녀가 기내식을 건넸다. 나는 그 순간, 묘하게 올라간 그녀의 입꼬리에 익숙함을 느꼈다. 소녀는 짜장면 두 그릇을 익숙하게 식탁에 놓았다. 시내에 있는 중학교를 어머니와 함께 처음 방문한 날. 나의 자취방을 알아보던 중, 학교 근처 중식당에 들렀다. 주방에선 떠들썩한 중국말이 들려왔다. 늦은 오후라, 손님은 우리뿐이었다. 나는 짜장면 곱빼기를 걸신들린 듯이 먹어 치웠다. 포만감이 즐겁게 밀려왔다. 그리고 나는 뒤늦게 벽에 붙은 종이를 발견했다. <방 있음>. 나는 고등학교까지 6년을 그곳에서 살았다. 중국 식당 옆 다세대 주택 지하 방. 소녀는 나와 같은 학교 같은 학년이었다. 아쉽게도 같은 반은 되지 못했지만, 6년을 알고 지냈다.

그녀는 로맨틱 요소가 강한 문학 서적들을 늘 끌어안고 다녔다. 그녀의 몸에는 항상 들척지근하고 달콤한 양파 냄새가 풍겼다. 그리고 암청색의 예쁘장한 블라우스를 즐겨 입었다. 그녀 위로 오빠가 세 명 있었다. 가족 모두 식당 일을 도왔다. 아니 종사했다. 그녀는 오빠들의 짓궂은 장난 속에, 방과 후면 언제나 식당 홀을 지키며, 줄곧 의미심장하면서 생경한 쾌활함 속에 사는 듯 보였다.

그녀는 가족 중 가장 말랐다. 그녀는 살이 좀 투실투실하면서도 세련된 끌림을 간직하고 있었다. 나는 한 달에 한 번, 집에서 받은 용돈으로 짜장면을 먹었다. 행복한 순간이었다. 그녀가 내려놓은 짜장면과 미소. 갈수록 그녀에게 끌렸다.

성산이 보이는 바닷가. 고향에서의 마지막 봄. 백일장. 나는 비로소 그녀를 발견했다. 그녀는 감상적인 상태로 한동안 바다를 바라보고 있었다. 옆에 놓인 원고지가 바람에 까닥거렸다. 구름 한 점 없이 맑았다. 세상은 온통 하늘과 바다, 바람과 햇빛뿐이었다.

"저기 사진 한 장…. 어때?" 그녀가 돌아섰다. 그리고 활짝 웃었다.

남 킹 컬 렉 션 #012

남킹의 문장 1

언어의 마법사 남킹의 문장들

남킹 컬렉션 #011

1월의 비

남킹 감성 소설집

바다가 있는 사진

7

7.

"저 혹시 노트와 펜을 얻을 수 있을까요?" 나의 취미 중 하나다. 항공사에서 제공하는 노트와 펜은 디자인이 좋다. 게다가 무료다. 나는 사랑하는 사람에게 뭔가를 보낼 때는 꼭 편지를 동봉한다. 물론 항공사에서 받은 노트를 이용한다. 대부분 짧은 글이지만 쓸 때마다 기분이 좋아진다.

"제주도로 돌아가시는 길인가요?" 그녀는 내게 노트와 편지 봉투, 펜을 건네주며 물었다. 비행이 거의 끝나가고 있었다.

"네, 그렇죠. 아주 많은 시간이 지났지만…. 40년 만에요."

"와우!" 그녀의 놀란 듯한 표정이 재미있다.

"그럼 그동안은?"

"육지에 한 10년, 독일에서 한 30년 정도 살았죠."

"그럼 제주도가 고향이시네요?"

"네, 그렇죠." 그러자 그녀는 손을 내밀며 악수를 청한다.

"고향 분을 뵙게 되어 반갑습니다."

"아, 그럼?"

"네, 저는 일곱 살까지 제주도에 살았어요." 그녀가 말을 이으려는 순간 승객 한 사람이 그녀에게 다가왔다. 빠른 중국 말이 오고 갔다. 그녀는 잠시 자리를 피했다.

얼마 지나지 않아 그녀가 돌아왔다.

"위성 사진으로 미리 좀 봤는데, 동네가 너무 많이 바뀌었어요."

"네, 많이 바뀌었죠. 저는 어릴 때라 기억이 잘 나지 않지만요…." 그녀는 고개를 끄덕하였다.

"은퇴 후, 고향에서 살기로 작정하고 가는 건데…. 모르겠어요. 고향에 간다는 느낌이 별로 안 드네요. 마치 외국 같은…."

"그럼 친척이나 친구분들은 좀 계시고요?" 그녀의 물음에 나는 고개를 설레설레 저었다.

"부모님 돌아가시고 형제들은 모두 서울에 살고…. 이북 출신이라…. 한번 찾아봐야죠. 뭐 딱히 소일거리도 없는데."

"친구분들은 좀 계시지 않을까요?"

"사실, 좀 궁금한 사람이…." 나는 지갑을 펼쳐, 그녀에게 오래된 사진을 내밀었다. 온통 푸른 하늘과 바다. 그 속에 담긴 눈부시게 맑은 미소의 소녀. 나는 사진을 보고 있는 안나를 바라본다. 호기심이 다분한 표정. 그녀의 미소 속에, 찰나와도 같이, 많은 감정이 흐른다. 당혹스럽게 많은 이야기가.

"옆집 친구인데…. 고등학교까지 줄곧 같은 학교에 다녔어요." 그녀는 사진에서 눈을 떼지 않는다. 고개만 까닥거린다. 표정이 이상하게 무거워진다.

"구이린 출신이라고 엄청나게 자랑했어요. 물론 구이린은 잘 아실 테고…." 여전히 그녀는 사진에 박혀있다. 마치 사진 속의 세상으로 떠난 듯, 움직임이 사라졌다.

딩. 딩. 딩. 착륙 경고등이 켜졌다. 그녀는 멈칫하더니 자신의 자리에 가서 앉았다. 안전띠를 하자 기내 방송이 들렸다. 비행기는 다양한 소리를 내기 시작했다. 좌측 우측 한 번씩 기우뚱거리더니 이내 평형을 잡았다. 바다가 삽시간에 나타났다 사라졌다. 긴장이 몰려왔다. 아내가 그립다. 바다를 닮은 그녀의 눈동자가 그립다. 그녀의 작은 손이 내 손등에 닿는 포근함이 더욱 그립다.

나는 맞은편에 앉은 안나를 불안한 눈빛으로 쳐다봤다. 그녀는 고개를 조금 떨구고 있었다. 한 손에는 여전히 나의 사진이 들려있다. 구름이 빠른 속도로 창을 비껴갔다. 지상으로 가까울수록 세상은 점점 빨라졌다. 이윽고 활주로에 다다른 듯, 녹색과 회색 활주로가 잽싸게 지나간다. 쿵 쿵 하고 몇 번의 소리와 함께 기체가 흔들리다 부르르

떨며 굉음을 내질렀다. 순간 나도 모르게 안도의 한숨이 터져 나왔다.

그녀가 나를 쳐다봤다. 이슬이 맺혔다. 나는 그 순간, 따스함을 느꼈다.
<끝>

거짓과 상상
혹은
죄와 벌

남킹 장편소설

남킹 컬렉션 #002

리셋
Reset

남킹 SF 소설집

남킹 컬렉션 #010

Writer

NAM KING

Novelist

크게 깨달은 자 남타

웃기는 이야기

#1

큰 얼굴 남타님이 대중목욕탕에서 목욕을 마치고 전신 거울을 쳐다 봤다. 오랜만에 때를 민 그의 몸매는 반짝였다. 그런데 목이 새까맣다. 그때 남타님은 큰 깨달음을 얻었다.

"아이씨! 목에 때를 안 밀었네."

어리석은 제자들이여 알겠는가? 삶은 이런 것이다.

#2

큰 얼굴 남타님이 출근 시간 지하철 2호선을 탔다. 신도림역에 도착 하자 수만의 승객이 내렸다. 비로소 남타님은 한숨을 돌렸다. 하지만 곧이어 수백만의 승객이 올라탔다. 구석에 처박힌 남타님은 큰 압박 에 고통받았다. 그 순간, 남타님은 큰 깨달음을 얻었다.

"아, 아, 아, 내 허리, 아, 아, 아이씨! 더럽게 아프네!"

경망스러운 제자들이여 인지하였는가? 인생은 이런 것이다.

#3

큰 얼굴 남타님이 압구정 로데오 거리를 걷고 있는데, 소박한 모습 의 여인이 다가와 말을 걸었다.

"저 혹시 도를 아십니까?" 이에 남타님이 대답했다.

"어린 자여, 너에게 나의 깨달음이 가슴으로 전해지느냐?"

"네? 아, 네. 그렇습니다." 여인이 고개를 끄덕였다.

"내 너를 나의 열두 번째 제자로 귀히 쓸 것이니 나를 따라오너라."
남타님은 흐뭇한 표정으로 돌아섰다.

"아, 아니. 그게 아니고, 저를 따라가셔야 하는데요!" 여인은 황급히 남타님의 어깨를 짚었다. 그 순간 몸이 흐트러진 남타님은 그만 도로에 주저앉아 무릎이 깨졌다. 그곳에서 남타님은 큰 깨달음을 보았다.

"아, 아이씨! 피가 나네! 피가 나! 아이고 아프다!"
게으른 제자들이여 인식하였는가? 인간의 삶은 이렇듯 고통의 연속이니라.

남 킹 판타지 소설집

하니은 매화

남 킹 컬렉션 #015

남킹 컬렉션 #004

심해
deep ocean

남킹 SF 장편소설

진정한 예술가 서태지

초단편소설

내 이름은 서태지. 올해 스물아홉. 물론 당연히 세상에서 가장 소중하고 가치 있으며 사뭇 중요하기까지 한, 나를 잉태하신 어머니는 서태지 팬이었다. 비록 하룻밤 불장난으로 치부할 수도 있겠지만, 내 아버지라는 작자는, 고귀한 국방의 의무를 수료함과 동시에 흔적을 남기지 않는 완벽한 빤스런을 시행하여, 외가 혈족의 공분을 삼과 동시에, 청순가련함의 그 자체를 구현하셨던 어머니에게 미혼모라는 주홍글씨를 남기셨다. 하지만 그분의 우수한 허우대를 구성하셨던 DNA를 온전히 물려받은 나는, 흐르는 세월 속에 세포의 정상적 분화와 발달이 골고루 잘 형성되며, 종국에는 사랑의 샘에 풍덩 빠진 듯, 자고 나면 넘쳐나는 매력덩어리를 골고루 철철 흘리고 다녔으니, 그 향에 취한 파리들이 어찌 꼬이지 않을 수 있었겠는가?

그 절정의 순간은 내 고등학교 졸업식이었다. 좋고 나쁘고를 가리지 않고 대학에 찰거머리처럼 떡떡 붙은 내 친구들의 의기양양하지만 소박한 모습의 졸업식 후 행사에 반해, 지난 3년 동안 줄곧 밑에서 전교 1등을 한 나는, 대학 응시조차 꼰대 같은 담임에게 거부당한 상태였지만, 나의 사회 출정식을 사무치게 반가워하던, 미자 숙자 은혜 광자 혜숙 인해 혜교 도연이가 저마다의 경제적 능력에 맞춘 수려한 꽃다발을 내게 안기니, 이 놀라운 장면을 예의주시하던 많은 학부모의 가슴에는 다음과 같은 의구심이 맺히지 않을 수가 없었다.

'쟤는 서울대 법대라도 들어간거?'

아무튼 장대한 꿈을 안고 우리 사회의 판도라 상자를 속히 열고 싶었던 나는, 다음날 병무청을 방문하여 성스러운 병역의무를 조속히 결행하여 신속하게 마무리를 하였으니, 이름하여 사회복무요원. 이를 본 동기들은 시샘이라도 하듯, 똥 방위라고 빈정댔지만, 어디까지나 대한민국의 잘난 청년으로서의 자긍심을 한껏 북돋워 줄 훌륭한 보직을 배당받았으니, 동부공원 녹지사업소 소속 개나리 공원 관리사무소 근무. 나는, 매일 정확한 시간에 산책한 것으로 유명한 독일 철학자 칸트처럼, 빈틈없는 시간에 아리따운 개나리 공원 산책길을 고귀한 사색의 문으로 여기고 주변의 정리 정돈과 청결 유지를, 깨달음을 수행하는 비구니처럼 청아한 마음으로 수행하였으니, 이를 감탄과 탄복의 시선으로 보시던 동부 공원녹지사업소 소장님의 마음 한구석 저 깊은 곳에서 울려 퍼지는 울림을 그분이 어찌 듣지 않을 수 있었겠는가?

'쟤는 진정으로 청소를 예술로 승화시킨겨!'

아무튼 가치 있는 하루를 소중하게 사용한 복무기간이 훈훈한 결말로 마무리됨으로써 (소장님은 내게 눈물까지 보이셨으니…) 나는 이제 페가수스처럼 날개를 달고 훨훨 이 사회의 정점으로 향해가는 고졸 성공 신화를 매일 같이 상상하며, 규모의 크고 작음에 상관없이, 분위기의 살벌함에 개의치 않고, 총성 없는 전쟁터, 바야흐로 영업사원에 이력서를 들쑤시고 다니기 시작했다. 날이며 날마다 나는 뽀얀 담배 연기 속에 자신의 아름다운 판타지 세상을 흠집 내는 악당들을 때려잡기에 여념이 없으신 피시방 고객분의 뒤통수를 바라보며, 알바 이력 한 줄 없이 깨끗하다 못해 삭막하기까지 한 내 소중한 이력서를 취업 포털 사이트에서 닥치는 대로 지원하였으니, 어느 순간 내가 보낸 이력서 개수가 적게 잡아도 우리나라 기업 수 총개.만큼 되었을 때쯤, 강원랜드 건물 끄트머리가 간신히 보이는 어느 한적하기 그지없는 회사 겸 공장에서 연락이 왔으니, 이 감격을 어찌 나 혼자 삭히고 앉아 있을 수 있었겠나? 내 소중한 보석 같은 미자 숙자 은혜 광자 혜숙 인해 혜교 도연에게 자랑스러운 대한민국 미남 서태지의 면접 사실을 전하고, 그녀들이 광속으로 내게 보낸 하트 이모티콘을 훈장 삼아, 나는 그날로 동부 시외터미널 6번 라인에서, 막 뽑은 듯 삐까번쩍하는 대형 버스를 타고 강원랜드로 고고.

나는 당당하게 면접관에게 자부심을 듬뿍 담은 눈길로 이렇게 외쳤다.

"두고 보십시오! 꼭 세계적인 회사로 키우겠습니다. 사장님."

이에 감복한 사장님은 그날로 내게, 잉크 자국도 채 마르지 않은 취업 계약서에 굵고 빨간 도장을 꾹 찍으시고 나의 엄지손가락에 빨간 칠을 하여 도장 옆에 골고루 손가락을 돌려가며 지장을 바르셨으니 서태지 인생의 봄날은 이렇게 화려한 개화를 꿈꾸게 되었도다!

일주일간의 현장 실습을 명받고 사무실에서 열여섯 발자국 옆에 있는 공장으로 달려 가 보니 창고를 가득 메우고 있는 탐스럽기 그지없는 까만 연탄들…. 나는 하얀 면장갑이 까맣게 변색하는 감동으로 다가올 때까지 굵고 짠 땀방울을 혓바닥으로 날름날름 음미해가며, 다들 힘들다고 하는 입사 첫날을 성공적으로 통과하였으니, 어느새 나의 늠름한 현장 모습에 반한 사장님과 사장님 아내이자 부장이신 고 여사께서는 이구동성으로 과한 칭찬을 마다하지 않으셨다.

"연탄 배달을 예술로 승화시킨겨!"

어느새 창공을 수식하던 새들도 짝을 찾아 떠나고, 저 지평선 너머

산 끄트머리에 겨우 매달린 햇살은 고단한 하루를 마무리하려는 듯, 한잔 걸치고 뻘겋게 달아올랐으니, 무던한 표정의 사장님이 손수 내 침소를 안내하는 수고로움을 실천하시니 나로서는 그저 이렇게밖에 인정하지 않을 수 없었다.

'정말이지 인복 하나는 타고 난겨!'

숙소는 생각보다 좁고 지저분하고 물은 흐리멍덩한 황톳빛이요 창은 더럽고 바닥은 냉방이었지만, 이 모든 편의 시설이 자애로우신 사장님이 하사하신 공짜 방인지라, 나는 그저 감지덕지하며 선량한 마음을 쏟아 기도하니 부디 만수무강하옵소서 우리 멋진 사장님!

남킹 컬렉션 #011

1월의 비

남킹 감성 소설집

거짓과 상상
혹은
죄와 벌

남킹 장편소설

남킹 컬렉션 #002

하니은 매화

전설

오래전 멀고 먼 은하계의 한 변방. 코딱지만 한 혹성에 고급 두뇌의 외계인을 담은 미확인 비행체가 불시착했습니다. 탑승객은 모두 죽고 하나가 살아남았습니다. 그는 그곳에 사는 원시 부족 중 가장 어여쁜 여자 원주민을 적극적으로 유혹하여 다섯 아들을 연달아 낳았습니다. 하지만 전통 풍습에 따라, 아들이 성인이 될 때까지 이름을 정할 수 없었습니다.

그로부터 18년 후, 마침내 막내가 성인이 되고서야 비로소 형제들에게 이름이 부여되고, 장남을 제외한 네 명의 형제는 자유의지에 따라 동서남북으로 흩어졌습니다.

중앙의 작은 땅에 머문 첫째는 코가 크다고 하여 <코큰아>, 동쪽으로 간 둘째는 늘 욕심이 많아 언제나 첫 번째만 고집하였으므로 <일번>, 남쪽으로 간 셋째는, 늘 어머니 차를 훔쳐 타고 돌아다니기를 좋아하여 <어머니카>, 서쪽으로 간 넷째는 항상 여자 꽁무니만 쫓아다니지만, 워낙 못생겨서 차이기만 한다고 하여 <차인아>, 북쪽으로 간 막내는 늘 부아가 난 상태로, 뭐가 못마땅한지 화만 내며 동네 애들에게 행패를 부려 <부아>라고 명명하였습니다. 그리고 그들은 후에 각자의 이름으로 된 왕국을 건설했습니다.

그로부터 오랜 세월이 흘렀습니다. 코큰아의 자손들은 워낙 성실하고 똑똑하여 세상의 음주·가무와 오락 산업을 석권했습니다. 반면 늘 탐욕스럽던 일번은 쓸데없이 어머니카 땅을 침범했다가 크게 두 방 두들겨 맞고 찍소리 못하는 신세가 되었습니다. 어머니카는 어중이떠중이를 다 받아들여 한때 매우 번성하였으나 백성들이 총과 약을 좋아하는 바람에 바람 잘 날 없이 시끄럽기만 하였습니다. 한편 차인아의 남정네들은 워낙 여자를 밝히다 보니 자손들이 기하급수적으로 불어나 가뜩이나 좁은 땅에 발 디딜 틈이 없게 되었습니다. 하지만 가장 불쌍한 왕국은 부아였습니다. 허구한 날 이웃 나라와 싸움이나 하고 나쁜 무기나 만들고 해킹이나 하다 보니 백성은 늘 굶주림에 시달렸습니다. 이를 불쌍히 여긴 코큰아의 국왕이 쌀도 주고 소도 주고 돈도 주었지만 밑 빠진 독에 물 붓기였습니다.

폭탄선언

한편, 코큰아 왕국에는 하쿠나 마타타 공주가 살았습니다. 그녀는 무척 이뻤습니다. 오뚝한 콧날, 무지갯빛 안구, 백옥같은 피부, 솜털 같은 머릿결, 우아한 미소, 번쩍이는 이빨, 뽀송한 볼, 쭉 빠진 몸매, 탄력 있는 가슴, 비단결 같은 손바닥… 정말이지 누가 봐도 한순간에 사랑에 빠지게 되는 그런 마력을 지닌 여인이었습니다.

게다가 무척 똑똑했습니다. 고대어인 산스크리트어, 선비어, 아카드어, 엘람어, 우라르투어, 코이네 그리스어, 탐라어를 능수 능란하게 구사하였으며, 13개 현대어를 자유자재로 통·번역하였습니다. 그리고 사학, 사회학, 지리학, 교육학, 경영학, 수학, 물리학, 화학, 생명학, 환경학, 천체학, 기계학, 재료학, 생명학, 전기학, 전자학, 컴퓨터학, 토목학, 산업학, 심리학, 의학, 약학에도 조예가 깊었습니다.

하지만 그녀가 정말 좋아하는 학문은 철학이었습니다. 공주는 고대 그리스 철학부터 중세 철학, 근대 철학, 현대 철학에 이르기까지 다양한 철학과 사상에 심취하였습니다.

그러던 어느 날, 공주의 성인식이 성대하게 이루어졌습니다. 코큰아 나라의 국왕인 핸무너 마타타 7세는 유일한 혈족인 하쿠나 공주가 이제 성인이 되었으므로, 국정에 적극적으로 참여하기를 원하였습니다. 그런데 그녀의 입에서 날벼락 같은 선언이 나오고 말았습니다.

그녀는 강단의 한가운데에 서서 마이크에 대고 다음과 같이 말했습니다.

"친애하는 국왕과 대신, 그리고 국민 여러분. 저는 제 삶과 철학을 통아 보는 장대한 결심을 이 자리에서 하고자 합니다. 저는 여전히 어리석고 무지하며 앎에 대한 갈증에 고통받고 있습니다. 저는 말할 수 없는 것에 대해서는 침묵해야 한다고 생각합니다. 그러므로 저는 보름달이 열세 번째 뜨는 날, 무언을 수행하는 수도승이 되어, 참된 진리를 찾을 결심을 하였습니다. 아무쪼록 저의 강단 있는 다짐에 아낌없는 지지를 바라마지 않는 바입니다. 감사합니다."

온 나라가 공주의 폭탄선언에 큰 충격을 받았습니다. 물론 가장 큰 고통은 국왕과 왕비인 체아양모현이었습니다. 곧 긴급 최고 내각 회의가 소집되었습니다. 각 지방의 자치단체장들이 모두 궁궐로 모여들었습니다. 그들은 공주의 마음을 돌릴만한, 저마다의 해결책을 마련하여 제시하였습니다. 그리하여 가장 많은 지지를 받은 정책을 시행하기 시작했습니다.

그것은 결혼 작전이었습니다.

공주가 누군가와 사랑에 빠진다면 자연스레 궁전에 눌러앉게 될 것이라고 그들은 판단했습니다. 즉시, 전 세계 모든 나라의 결혼 적령기에 접어든 총각들에게 문자 메시지가 날아갔습니다. 메시지를 받은 그들의 반응은 폭발적이었습니다. 거의 모든 사람이 청혼하기를 희망하였습니다. 뭐, 이건 누가 봐도 쉽게 예상할 수 있는 일이었습니다.

7년 연속 <시계> 선정 가장 예쁜 여성 1위, 8년 연속 <보고> 선정 가장 섹시한 여성 1위, 9년 연속 <BBB> 선정 가장 지적인 여성 1위, 10년 연속 <선데이 부산> 가장 바람피우고 싶은 여성 1위를 차지한 하쿠나 공주가 아니겠습니까!

그리하여 국왕 특별령 제 8777호 798항에 의거하여, <마타타 공주 결혼 추진 위원회>가 발족하고, 결혼 후보자 9,999명에 대한 검증 작업이 들어갔습니다. 시간이 촉박한 관계로, 위원들은 밤낮을 가리지 않고 후보자 추리기를 하여, 마침내 7명으로 압축을 하였습니다. 위원장은 이 명단을 들고 공주를 방문하였습니다. 그녀는 궁전에서 가장 높은 탑에 기거하였습니다. 그녀는 그곳에서 늘 독서와 명상을 하며 진리를 탐구하고 있었습니다.

공주의 질문

명단을 받아 본 공주는 위원장인 하동포르떼 백작에게 호기심을 품은 표정으로 물었습니다.

어떤 기준으로 뽑았나요? 존경하는 위원장님.

그들의 신분, 명성, 재력, 금력, 학벌, 주변인의 평판, 조상, 인물, 국제관계, 의지 등을 고려하였습니다. 공주마마.

모두 부질없는 기준입니다. 위원장님.

그럼 어떤 기준으로 할까요?

내면의 아름다움입니다.

하지만….

백작은 당혹스러웠습니다.

하지만 공무마마. 어떻게 내면의 아름다움을 평가할 수 있겠습니까?

모두에게 전달하시기 바랍니다. 자신의 이야기를 적어 보내 주세요. 그러면 그중에서 제가 직접 뽑도록 하겠습니다.

백작은 공주의 요청에 무척 만족하며 돌아갔습니다. 왜냐하면 그녀가 처음으로 남자와 데이트하겠다는 의지를 내비쳤기 때문입니다. 이 말은 전해 들은 국왕과 왕비, 대신들은 모두 쌍수를 들고 기뻐했습니다. 하지만 그렇지 않은 여인이 있었습니다.

제리 후궁

그녀는 다름 아닌 왕의 13번째 후궁이었습니다. 그녀의 이름은 제리 아뿔싸. 하지만 그녀의 원래 이름은 빙신이었습니다. 탐욕스러운 집안의 셋째딸로 태어난 그녀는 성인이 되자 마법사의 유혹에 넘어가 제리라는 이름으로 개명을 하고, 돈을 버는 족족 압구정 유명 성형외과에 부지런히 돈을 갖다 바쳐 마침내 요염한 얼굴로 변신할 수 있었습니다. 그리고 그것을 무기로 왕궁의 시녀가 되어 마법사에게서 배운 <유혹하기>로 마침내 국왕의 하해와 같은 은혜를 받았습니다. 하지만 그녀는 무척 탐욕스러웠으므로 후궁에 도저히 만족할 수가 없었습니다.

그녀는 수도 경비를 담당하는 내금위 대장인 텐스톤을 은밀히 유혹하여 부적절한 관계를 맺고는 호시탐탐 왕비와 공주를 제거할 계략을 꾸미고 있었습니다.

미어킷 왕자

마침내 하쿠나 공주는 한 사람을 지목했습니다. 그는 큰 바다 너머 큰 섬인 <마다카스> 나라의 <티몬> 국왕의 33번째 아들인 <미어킷> 왕자였습니다. 그는 하버드 조경학과를 졸업하고, <구름>이라는 검색 전문 회사를 창업하여 억만장자가 된 자로, 공주의 유학 시절, 첫눈에 반하여 스토커로 오해까지 받을 정도였습니다. 일각에서는 공주의 일거수일투족을 감시할 방법을 연구하다가 검색엔진을 개발하게 되었다는 소문이 돌기도 하였습니다.

그는 9889년 4월 26일, 마다카스 라퀴타 제국의 수도 하드렌에서 티몬(9847~9993)과 디구디나디(9850~9946) 모리볼로의 여덟 자녀 중 막내로 태어났습니다. 어머니의 태몽은 이러했습니다. 짙은 강에 유유히 가던 보트가 커다란 코끼리를 물에 빠트렸습니다. 하지만 보트는 얼마 못 가 주저앉고 말았습니다. 상아로 채워진 댐이 배를 가로막았기 때문입니다. 아버지의 태몽은 좀 더 이상했습니다. 푸른 하늘 아래 더 없이 펼쳐진 옥수수밭을 절반으로 가르는 거대한 물체가 나타나 아버지를 흡수하여 배를 가르고 앙증맞은 인형을 꺼냈습니다.

어머니는 아우스트리아에서 로봇 산업을 이끌던 AI 거물 중 하나로, 헤국인이었으나 후에 산마르로 개종하였습니다. 산마르는 인간의 집단적 광기에 기초한, 기계로 접목할 수 있는 모든 시멘틱 디코더(의미 해독기)를 거부하고, 초월로 향하는 단순한 삶을 지향하였습니다. 헤타구로가 인간 고통사의 굵은 상처를 새긴 자로 회자하는 것처럼, 그의 어머니는 인공 지능의 정신적 고양과 선한 지성을 주도한 인물로 널리 알려졌습니다.

미어킷은 키가 작고 매우 수수한 외모를 가진 왕자입니다. 하지만 그의 미소는 백성들에게 화목함과 평화를 불러왔습니다. 또한, 그는 예술과 음악에 관심이 많았습니다. 그는 훈련된 용맹함과 우아한 말씨를 가졌습니다. 그는 활동적이고 운동을 좋아하여 축구를 즐겼습니다. 또한, 그는 경영 관련 지식과 뛰어난 전략적 사고력을 가지고 있습니다.

그는 정직하고 따뜻한 성격의 왕자입니다. 그는 정의로운 마음가짐과 사회적 책임감이 강해 사회적 문제에 대한 해결책을 찾는 데 열정적입니다. 그는 재치 있고 유머 감각이 뛰어나며 사람들을 웃게 만드는 왕자입니다. 그는 능수능란한 입담으로 모두를 편안하게 만들며, 사회적인 모임에서 주목을 받습니다. 또한, 그는 예술과 문학에 관심이 많아 다양한 예술 작품을 감상합니다. 또한, 그는 과학과 기술에 대한 지식이 풍부하며 혁신적인 아이디어를 제시합니다. 그는 음악에 관심이 많아 자주 악기를 연주하며, 창의적인 작곡을 즐깁니다. 그는 매력적이고 카리스마 있는 왕자입니다.

그는 외교적인 능력과 협상 능력이 뛰어나므로 정치적인 문제를 해결하는 데 탁월합니다. 그는 우정과 신뢰를 소중히 여기는 왕자입니다. 그는 정직하고 믿음직한 성격으로 알려져 있으며, 사람들을 위해 언제나 힘써줍니다. 또한, 그는 동물과 자연을 사랑하며, 환경 보호와 동물 복지에 관심을 두고 있습니다. 그의 어두운 갈색 머리카락은 정돈되어 있으며, 선하고 차분한 눈에는 지혜와 인내가 빛나고 있습니다. 그는 주변 사람들을 존중하고 돕는 데 관심을 기울이며, 다른 사람들의 의견을 경청합니다. 이러한 특징은 그의 사랑과 관심이 넘치는 성격을 보여줍니다.

만남

왕자에게는 곧바로 <마타타 공주 1일 연애권>, <싱그러운 항공 일등석 항공권>, <백제 호텔 VVIP 룸 숙박권>, <매리 호텔 미쉐린 쉐프 컬렉션 뷔페 항상 이용권>, <아프리카 익스프레스 블랙 신용카드> 등이 보내졌습니다. 하지만 그는 공항에 도착하자마자, 밥도 안 먹고 곧바로 <마타타 공주 1일 연애권>을 행사했습니다.
<마타타 공주 1일 연애권>은 공개 미팅 30분과 비공개 미팅 2시간으로 구성이 되었습니다. 미어킷 왕자는 제4 궁전 영빈 1 별관, 외국인 전용 접견실에 마련된 미팅 장소에, 이른 시간에 도착하여, 초조하게 그녀를 기다렸습니다. 물론 각국에서 온 수많은 특파원도 기다리기는 마찬가지였습니다. 이윽고 시간이 되자 공주가 우아한 표정으로 나타났습니다. 왕자는 황홀한 표정으로 공주를 쳐다봤습니다.

동시에 엄청난 카메라 후레쉬가 터졌습니다. 간단한 인사가 이어지고 모든 관계자가 물러나자 공주가 첫 질문을 하였습니다.

"사랑은 무엇입니까?"

"사랑은 끌림입니다." 왕자는 떨리는 가슴을 진정하며 차분하게 답변하였습니다. 그러자 공주는 다시 물었습니다.

"그렇다면 그 끌림을 당신은 저에게서 느끼시나요?"

"끌림이 없었다면 애써 이 자리에 오지도 않았을뿐더러, 그 끌림의 절정을 마주한 지금, 저는 형언할 수 없는 사랑을 만끽하고 있습니다." 왕자는 자신의 답변에 만족한 듯, 기쁜 표정으로 공주의 아리따운 눈을 응시했습니다.

"그렇다면 그 끌림의 절정이 혹시, 오십 년도 안 되어 썩어 문드러질 저의 껍데기에 현혹된, 착각의 다른 표현이지 않을까요?" 공주는 눈 하나 깜짝이지 않고 되받아 물었다.

"저의 끌림이 당신의 미모에 대한 현혹 혹은 착각일지라도, 그건 수만 년을 이어져 온 인간의 유전적 특성에 기인하는바, 밴댕이의 눈에는 그들만의 보편타당한 미의 기준이 있을 것이요, 오랑우탄의 눈에도 역시 통용되는 아름다움의 잣대가 존재하는 법입니다. 사람의 끌림에는, 생물학적으로는 자기 유전자를 후대에 전달하고자 하는, 근본적 삶의 목적이 담겨있습니다. 즉, 인간은 DNA라는 실체의 수단에 불과합니다." 왕자도 당당하게 답을 했다.

"그럼 왕자님은 본능을 초월하는 정신적 고상함을 겪어보시지는 않았나요?" 공주의 질문에 왕자는 바로 답을 했다.

"지금 경험하고 있습니다. 바로 본능을 뛰어넘는 정신적 갈망을⋯. 공주님."

"우리가 처음 만난 지 겨우 1분 만에 말입니까? 왕자님."

"어떤 사랑은 불과 1초 만에 또 어떤 사랑은 100년이 걸리기도 합니다. 사랑은, 실체가 변덕스럽고 변화무쌍하며, 진단을 내리기도 정의를 규정하기도 어려울 뿐 아니라, 추측이나 예측도 거부하기 마련입니다. 공주님." 왕자는 어깨를 으쓱거리며, 자신의 논리에 만족스러운 표정을 지었다.

"그럼 왕자님은 저를 본 순간에 바로 이게 진정한 사랑이라는 확신을 하신 건가요?"

"네, 그렇습니다. 공주님. 저는 이에 관해 이야기를 하나 들려드리도록 하겠습니다. 제 나라에서 일어난 실제 사건입니다. 비록 수십 년 전이지만, 저는 사랑을 느낄 때면 그를 떠올리곤 하였습니다. 지금도 그래서 생각이 난 거고요."

미어킷 왕자의 나라 마다카스는 7개의 크고 작은 섬으로 구성된 나라였다. 가장 북쪽의 섬은 <로구호>이고 가장 남쪽의 섬은 <나디다>였다. 로구호 섬에서 나디다 섬까지는 직선으로 12,000km 거리였다. 로구호 섬의 중심 도시는 다이훙이었고, 그곳에는 예전부터 산업과 어업이 발달하여 전통 음식점들이 호황을 누리고 있었다. 반면 나디다 섬은 가난한 어촌이었다. 게다가 가까이에 <필립나노>라는 나라가 있었는데, 국경 분쟁으로 늘 전쟁의 위험이 도사리고 있었다. 로구호 섬과 나디다 섬은 기후도 완전히 달랐다. 북쪽은 일 년에 9개월은 추웠고 남쪽은 반대로 더웠다. 그러므로 두 섬에 자라는 식물은 완전히 다를 수밖에 없었다. 하지만 공교롭게도 모든 섬에 자라는 매화가 있었다. 이 매화는 봄이 되면, 분홍색이 아닌 핏빛 꽃을 피웠다. 사람들은 이 붉은 매화를 <하니은 매화>로 불렀다. 그 사연은 다음과 같다.

다이흥 시에 사는, 25살 청년 <이큰딩>은 실력 있는 쉐프였는데, 어느 날 그가 근무하고 있는 식당에 <하니은>이라는 이름의 여인이 주방 보조로 들어왔다. 그녀의 나이는 32살이었고 고향에 아들을 두고 있었다. 그곳이 나디다 섬이었다. 이큰딩은 하니은을 보자마자 사랑에 빠졌다. 그는 매일 그녀에게 자신이 할 수 있는 모든 정성을 다하여 그녀에게 사랑을 표현했다. 몇 달 뒤, 그의 사랑은 결국 받아들여졌고 그들은 동거하였다. 그리고 그녀의 외아들을 초청했다. 그런데 전쟁이 터졌다. 그리고 아들과의 연락마저 끊어져 버렸다.

하니은은 아들을 찾기 위하여 남으로 내려갔다. 하지만 얼마 안 가 하니은의 소식도 끊어졌다. 이큰딩은 그때부터 온 나라를 돌아다니며 그녀를 찾았다. 그는 하니은의 초상화를 매일 밤 수십 장씩 그려 사람들이 있는 곳이면 어디든지 붙였다. 그렇게 십수 년을 그는 떠

돌아다니다가 어느 날 홀연히 사라졌다. 그리고 한 달 뒤, 해변에 두 구의 시체가 발견되었다. 누군가 그들을 떼어놓으려고 하였지만 절대 떨어지지 않았다. 그리고 그때부터 하니은의 초상화가 있던 자리에는 붉디붉은 매화가 자라났다.

이 이야기를 들은 하쿠나 마타타 공주는 눈시울이 붉어졌습니다.

하니은 매화를 보고 싶습니다. 왕자님.

그리하여 공주와 왕자는 마다카스로 같이 떠났습니다. 코큰아의 백성들은 이 소식을 듣고 모두 기쁨으로 충만하여 거리로 나와 축제를 벌였습니다. 하지만 공주가 없는 틈을 타 제리 후궁은 내금위 대장과 결탁하여 쿠데타를 일으켰습니다. 국왕을 비롯한 나라의 모든 대신을 감금한 제리는 텐스톤 내금위 대장을 국가 비상 대책위원장으로 임명하고 본인은 스스로 여왕이 되었습니다. 그리고 공주와 왕자의 암살을 지시했습니다.

옆행성

하쿠나 마타타 공주와 미어캣 왕자는, 하는 수 없이 그들을 따르는 소수의 신하와 함께 나로호와 승리호에 각각 나누어 타고 옆행성으로 피신을 하였습니다. 하지만 그곳은 그들이 살기에 너무 가혹한 환경이었습니다. 대기는 대부분 이산화탄소로 이루어져 산소가 턱없이 부족했습니다. 그리고 매우 추웠습니다. 평균 온도가 마이너스 80도에 가까웠습니다. 게다가 표면은 강력한 자외선과 코스믹 선량을 받아 보호 장비 없이는 외출하기가 힘들었습니다. 옆행성은 물도 귀했습니다. 하지만 이 모든 어려움에도 불구하고 그들은 뜨거운 사랑으로 똘똘 뭉쳐 멋진 사회를 이루어내었습니다.

이 나라는 평등과 정의를 중시하는 철학적 기반 위에 세웠습니다. 모든 시민은 윤리적 가치와 도덕적 원칙을 존중하고 실천했습니다. 법률은 도덕적 원칙을 반영하며, 교육과 문화는 윤리와 도덕을 강조하고 확장하였습니다. 모든 시민은 동등한 기회를 얻으며, 부의 불평등을 최소화하기 위한 사회적 재분배 메커니즘을 갖추고 있습니다. 정치체제는 포용적이며 시민들의 다양한 의견을 존중하고 포용했습니다. 모든 시민은 무료로 고급 교육에 접근할 수 있으며, 지식의 확산과 교육의 역할을 통해 시민들이 더 나은 판단력과 통찰력을 갖출 수 있도록 국가가 지원하였습니다. 자연환경을 보호하고 존중하기 위해 노력하며, 지속 가능한 에너지와 생산 방식을 채택했습니다. 그리고 환경 오염과 파괴로부터 보호하고, 생태계와 생물다양성을 유지하려고 모든 시민이 노력했습니다.

마침내 철학적 유토피아 사회로써 가장 이상적인 국가가 현실적으로 완벽하게 실현되었습니다.

반면, 제리 여왕이 통치하는 코큰아는 점점 가라앉기 시작했습니다.

최상위 소득 계층의 부의 증가가 다른 계층보다 더 빠르게 증가하였습니다. 이로 인해 중산층과 하층 계층 사이의 소득 격차가 커지고, 계층 간의 불만이 극도로 팽배했습니다. 게다가 정치적 갈등까지 겹쳐 사회적 분열이 더욱 심하였습니다. 거리에는 불법 약물이 판을 치고 총기 사고가 매일같이 벌어졌습니다. 환경 파괴, 기후 변화 및 자원 고갈도 심해져만 갔습니다. 수시로 금융위기가 찾아왔고 노동자들은 거리로 내몰렸습니다. 그런데도 겉치레에만 과도하게 집중하는 과소비가 팽배하여 백성들은 점점 피폐해져만 갔습니다.

전쟁

이러한 혼란을 옆 나라들이 가만두고 보지는 않았습니다. 탐욕스러운 일번이 먼저 집적거리기 시작하더니 어느새 부아가 차인아와 손잡고 코큰아를 넘보기 시작했습니다. 그러자 어머니카는 일번과 결탁하여 노골적으로 야욕을 드러냈습니다. 결국 두 패로 나뉜 그들은 코큰아에서 큰 전쟁을 시작했습니다. 제리 여왕은 가장 먼저 도망을 쳤습니다. 하지만 성난 백성들에게 곧바로 잡혀 거리에서 신나게 두들겨 맞고 죽었습니다. 전쟁은 수년간 지속되었습니다. 코큰아의 백성들 대부분은 옆행성으로 떠났습니다. 결국 코큰아는 코딱지만 한 혹성에서 가장 먼저 사라지는 왕국이 되었습니다. 하지만 얼마 지나지 않아 부아, 일번, 어머니카, 차인아도 모두 사라졌습니다. 결국 오랜 전쟁과 극심한 환경 오염으로 생명체가 사라진 죽은 행성이 되었습니다.

반면, 하쿠나 마타타 공주와 미어킷 왕자가 옆행성에 건설한 국가는 수만 년 동안 번창하였습니다. 그들이 세운 국가명은 <하니온>입니다.

퍼즐의 끝에는 상상도 못한 연결고리가 있다!

NAM KING
COLLECTION
#004

심해
DEEP SEA

NAM
KING

남킹 SF 장편소설

파벨 예언서

떠오르는 위협

남킹 장편소설

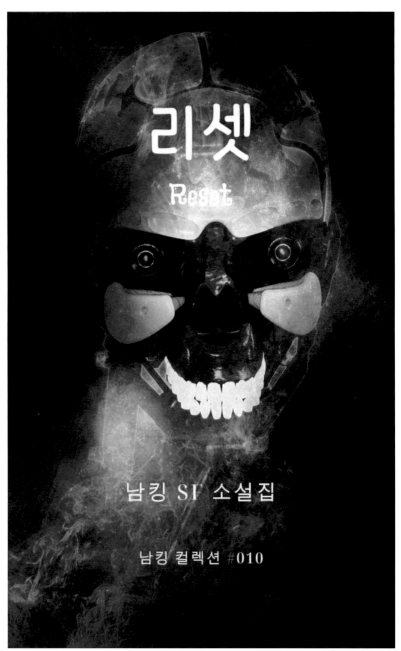

리셋
Reset

남킹 SF 소설집

남킹 컬렉션 #010

1월의 비

1월의 비

그녀의 이름은 올가였다. 겨울에 처음 만났다. 여자는 털토시를 신고 있었다. 금방 코를 닦았는지 코끝이 반짝거렸다. 그녀는 진한 화상으로 흉한 목을 가졌고 지나치게 크고 무거운 속눈썹을 달고 다녔다.

나는 돈을 주었다.

우리는 다소 형식적이고 평범한 섹스를 하였다. 비교적 이른 시간에 끝났다. 무엇을 하던 감정이 무겁게 뒤따르던 때였다. 나는 물티슈로 그녀의 입과 음부 주위를 닦았다. 그리고 침대 옆 의자에 앉았다. 등받이 위에 두 팔을 괸 채 돌아누운 그녀의 검고 굴곡진 몸을 한동안 바라봤다.

그녀의 크고 물컹거리는 가슴과 달리 뒷모습은 단호하게 보였다. 이윽고 여자는 한쪽 손으로 턱을 괸 채 잠을 청하는 듯 보였다. 적막 속에 그녀의 새큰거리는 숨소리가 느껴졌다.

여자는 그날 밤을 꼬박 나와 지샜다. 나는 감사의 표시로 아침을 대접했고 그녀는 내게 쇼핑을 제안했다.

언제나 거리는 한산했다. 길가에 늘어선 앙상한 가로수 위로 보이는 하늘은 청명하였으나 광채 없는 빛을 발했다. 나란히 늘어선 지붕

처마에는 예외 없이 고드름이 다닥다닥 매달러있었다. 여남은 명 되는 변두리 젊은이들이 바쁘게 길을 갔다.

그녀는 마음이 정한 곳으로 나풀거리며 돌아다녔다. 우울한 날들의 끝자락이었다. 올가는 한가함이 주는 안락함 혹은 의무의 짐에서 풀려난 듯한 해방감에 빠진 듯했다. 나는 그런 그녀가 부럽고 사랑스러웠다. 우리는 자주 웃고 스킨십을 즐겼다. 땅거미가 질 때까지 돌아다녔다. 이윽고 회색 지붕들 위로 불그스름한 햇살이 지친 육신처럼 무거워지기 시작했다.

그날 밤. 나는 여자의 집으로 향했다. 인적이 점점 사라진 도로는 한층 더 어둑했다. 어둠 속에 떠오르던 첫 별빛은 희미했다.

여자는 집에서 아주 멀리 떠나왔다고 했다. 남자를 만나 아이를 낳았고, 그가 무일푼에 무능력자라는 사실을 알고는, 생존과 가족 부양을 위해 닥치는 대로 일을 했다고 하였다. 매춘도 포함해서.

칠흑같이 어두운 방이었다. 스위치를 켜자, 별안간 쏟아지는 불빛 때문에 눈이 따가웠다. 겨우 사물이 잡혔을 때, 가장 눈에 띈 거는 그녀의 가족사진이었다. 대가족이었다.

"할머니예요. 저를 키우신 분이죠."

나의 시선을 쫓던 그녀는 작은 액자를 가리키며 말했다. 액자 속 여인은 이가 빠져버린 입속으로 입술이 온통 다 말려 들어간 채 편안하게 웃고 있었다. 나는 불빛이 벽에 반사되어 피로를 느끼며 액자를 살포시 들었다가 이내 내려놓았다.

굵은 빗방울이 살짝 젖혀진 창을 헤집고 들어왔다. 붉은 제라늄 꽃이 바람에 건들거렸다. 밤이 유리창을 지배했다.

나는 줄곧 혼자였고 내 삶의 대부분을 지탱하는 주제였다. 그건 그녀를 만난 후에도 계속되었다. 나는 올가를 좋아하지만, 같이 살지는 않았다. 우린 일주일 혹은 두 주일에 한 번 정도 만났다. 장소는 늘 호텔이었다. 내가 모든 경비를 지출했다. 심지어 생활비까지 주곤 하였다.

나는 그다지 부자는 아니었다. 그래서 그녀에게 주는 돈은 따로 모았다.

그렇게 두 달을 보냈다. 하지만 곧 이별이 찾아왔다.

"아들이 사라졌어요."

그녀는 줄곧 밑으로 향하던 시선을 위로 천천히 들어 올렸다. 우수와 불안과 의지가 서린 눈빛이었다.

"그래서 차를 빌렸어요."

1월의 비가 내리던 그날. 그녀는 우크라이나로 떠났다.

어떤 때는 그렇다. 지나치게 많은 것들이 보여서 눈을 감아 버리고 싶을 때가 있다. 지나치게 많은 것들이 머릿속을 흔들어 아예 아무것도 생각하고 싶지 않을 때가 있다.

나는 그저 그냥 그녀를 생각한다. 나의 뇌에 닿아 맺어진 기억을 떠올릴 때, 그 그리움이 나를 탐하게 될 때를 그저 속삭이곤 한다.

남킹 컬렉션 #011

1월의 비

남킹 감성 소설

리셋
Reset

남킹 SF 소설집

남킹 컬렉션 #010

남킹 컬렉션

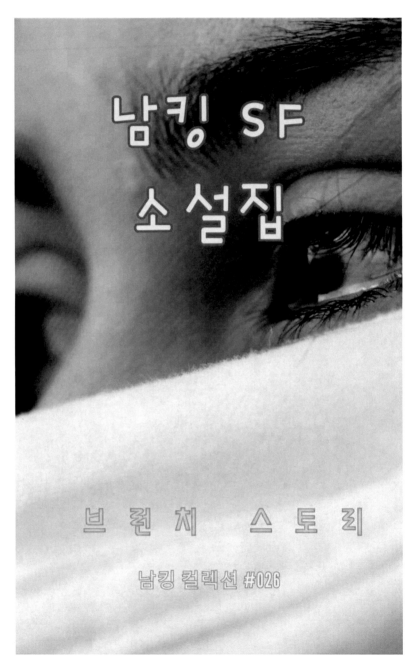

남킹 SF
소설집

브렌치 스토리

남킹 컬렉션 #026

서글픈 나의 사랑

남킹 장편소설

남킹 컬렉션 #025

길에 내리는 빗물

남 킹 소 설 집

남킹 컬렉션 #024

안리칸테는
언제나 맑음

남킹 에세이

남킹 컬렉션 #023

사랑 그 쓸쓸함에 대하여

남킹 음악산문

남킹 컬렉션 #021

거리를
비워두세요

남킹 음악 에세이

남킹 컬렉션 #020

남킹 컬렉션 #019

이방인

남킹 장편소설

남킹 컬렉션 #018

천일의 여황제

세빈의 남자

남킹 판타지 소설

남킹 컬렉션 #017

스네이크 아일랜드

1권

죽고 싶지만 복수는 하고 싶어

남킹 판타지 스릴러

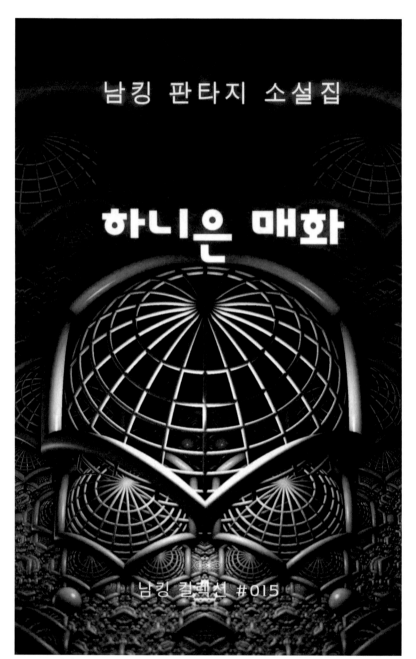

남킹 판타지 소설집

하니은 매화

남킹 컬렉션 #015

남킹 컬렉션 #012

남킹의 문장 1

언어의 마법사 남킹의 문장들

파벨 예언서

떠오르는 위협

남킹 장편소설

남킹 컬렉션 #008

심해

남킹 SF 장편소설

남킹 컬렉션 #011

1월의 비

남킹 감성 소설집

남킹 컬렉션 #001

그레고리 홀란드의
묘한 죽음

남킹 장편소설

남킹 컬렉션 #003

신의 땅 물의 꽃

남킹 판타지 SF

남킹 장편소설

남킹 컬렉션 #013

남킹의 문장 2

언어의 마법사 남킹의 문장들

거짓과 상상
혹은
죄와 벌

남킹 장편소설

남킹 컬렉션 #002

리셋

Reset

남킹 SF 소설집

남킹 컬렉션 #010

앝리칸테는
언제나 맑음

남 킹 에 세 이

남킹 컬렉션 #023

남킹의 문장 1
브런치 소토리

남 킹

남킹 컬렉션 #022

사랑 그 쓸쓸함
에 대하여

남 킹 음악 산문

남킹 컬렉션 #021

거리를
비워두세요

남킹 음악 에세이

남킹 컬렉션 #020

남킹 컬렉션 #049

이방인

남킹 장편소설

남킹 컬렉션 #018

천일의 여황제

세빈의 남자

남킹 판타지 소설

남킹 컬렉션 #017

스네이크 아일랜드

1권

죽고싶지만 복수는 하고 싶어

남킹 판타지 스릴러

남킹 판타지 소설집

하니은 매화

남킹 컬렉션 #015

퍼즐의 끝에는 상상도 못한 연결고리가 있다!

NAM KING
COLLECTION
#004

심해
DEEP SEA

NAM
KING

남킹 SF 장편소설

남 킹 컬 렉 션 # 0 0 1

그레고리 흘라디의
묘한 죽음

남킹 장편소설

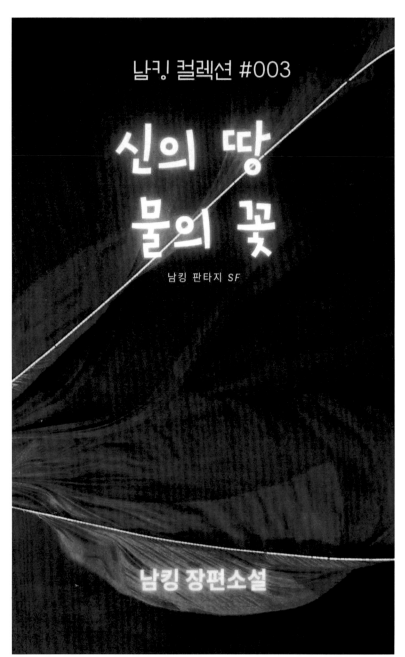

남킹 컬렉션 #003

신의 땅 물의 꽃

남킹 판타지 SF

남킹 장편소설

남킹 컬렉션 #0018

남킹의 문장 2

현여왕 마법 남킹의 문장들

거짓과 상상
혹은
죄와 벌

남킹 장편소설

남킹 컬렉션 #002

남킹 컬렉션 #012

남킹의 문장 1

언어의 마법사 남킹의 문장들

남킹 컬렉션 #011

1월의 비

남킹 감성 소설집

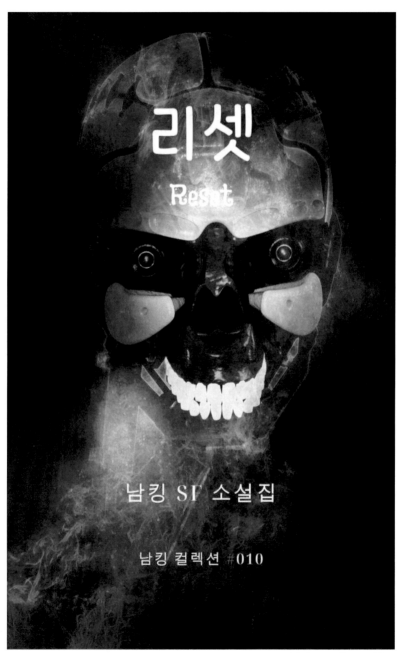

리셋
Reset

남킹 SF 소설집

남킹 컬렉션 #010

파벨 예언서

떠오르는 위협

남킹 장편소설

남킹 컬렉션 #008

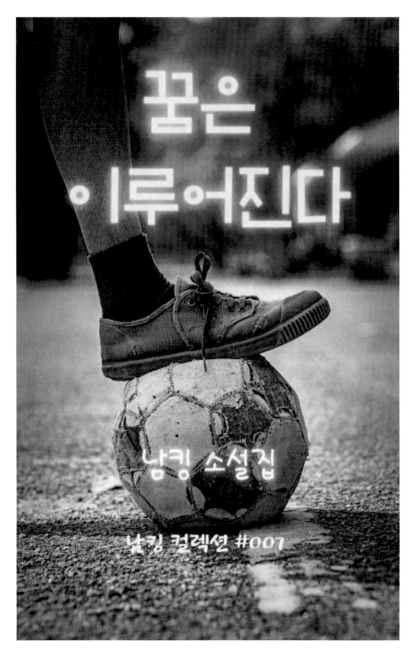

꿈은
이루어진다

남킹 소설집

남킹 컬렉션 #007

그레고리 흘라디의 묘한 죽음

남킹

남킹 컬렉션 #001

남킹 컬렉션 #002

거짓과 상상 혹은 죄와 벌

남킹 장편소설

신의 땅
물의 꽃

남킹 장편소설

남킹 컬렉션 #003

남킹 컬렉션 #005

당신을 만나러 갑니다

남킹 사랑 이야기

블루 드래곤
744

남킹 대본집

남킹 컬렉션 #006

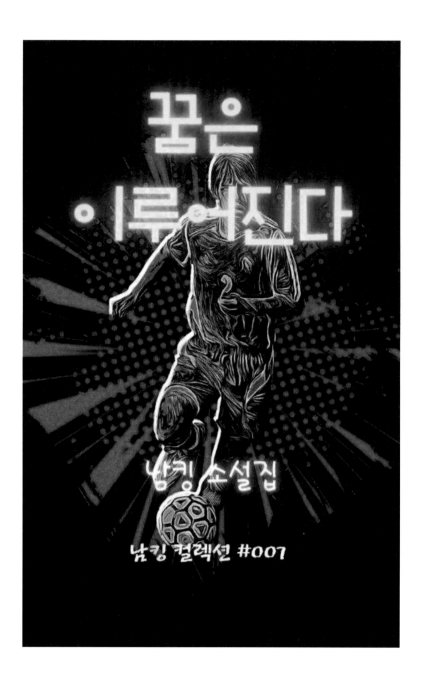

꿈은 이루어진다

남킹 소설집

남킹 컬렉션 #007

파벨 예언서

떠오르는 위협

남킹 장편소설

남킹 컬렉션 #008

떠날 결심

남킹 미니픽션

남킹 컬렉션 #009

리셋
Reset

남킹 SF 소설집

남킹 컬렉션 010

남킹 컬렉션 #011

1월의 비

남킹 감성 소설집

남 킹 컬 렉 션 # 012

남킹의 문장 1

언 어 의 마 법 사 남 킹 의 문 장 들

남킹 컬렉션 #013

남킹의 문장 2

언어의 마법사 남킹의 문장들

남킹의 문장 3

언어의 마법사 남킹의 문장들

남킹 컬렉션 #014

남 킹 판 타 지 소 설 집

하니은 매화

남 킹 컬렉션 #015

남킹 컬렉션 #16

남킹의 문장

4

남킹 컬렉션 #017

스네이크 아일랜드

1권
죽고싶지만 복수는 하고 싶어

남킹 판타지 스릴러

남킹 컬렉션 #018

천일의 여황제

세빈의 남자

남킹 판타지 소설

남킹 컬렉션 #019

이방인

남킹 장편소설

거리를
비워두세요

남킹 음악 에세이

남킹 컬렉션 #020

사랑 그 쓸쓸함
에 대하여

남 킹 음 악 산 문

남킹 컬렉션 #021

남킹의 문장 1
브런치 스토리

남 킹

남 킹 컬렉션 #022

알리칸테는
언제나 맑음

남 킹 에 세 이

남킹 컬렉션 #023

길에 내리는 빗물

남 킹 소 설 집

남킹 컬렉션 #024

서글픈
나의 사랑

남킹 장편소설

남킹 컬렉션 #025

남킹 SF
소설집

브 런 치 스 토 리

남킹 컬렉션 #026

브런치 스토리

남킹 사랑 소설집

남킹 컬렉션 #028

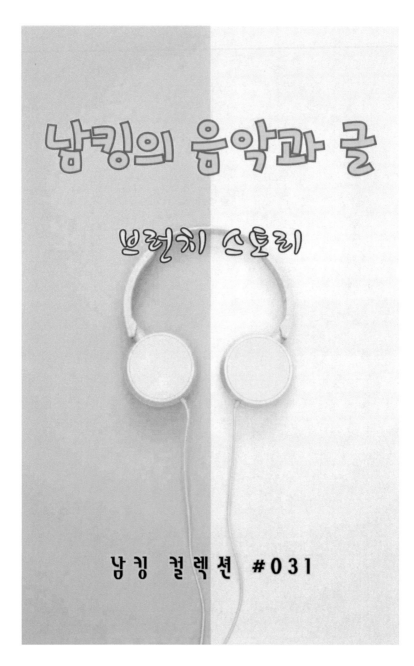

남킹의 음악과 글

브런치 스토리

남킹 컬렉션 #031

남킹 이야기

브런치 스토리

남킹 컬렉션 #032

눈물이 당신의
볼을 타고

브런치 스토리

남킹 컬렉션 #033